Михаил Афанасьевич
БУЛГАКОВ
1891 — 1940

Михаил
БУЛГАКОВ

Собачье сердце

Повести

АЗБУКА

Санкт-Петербург
2012

УДК 821.161.1
ББК 84(2Рос-Рус)6-44
    Б 90

Оформление обложки
Валерия Гореликова

Булгаков М.

Б 90   Собачье сердце: Повести. — СПб.: Азбука,
Азбука-Аттикус, 2012. — 256 с.

ISBN 978-5-389-01364-3

В начале 1920-х гг. М. Булгаков последовательно создает
три повести: «Дьяволиада» (1923), «Роковые яйца» (1924) и
«Собачье сердце» (1925). Это была непосредственная и бурная реакция на «советизацию» России, на воцарение касты
«шариковых».

Повести «Дьяволиада» и «Роковые яйца» были опубли-
кованы, соответственно, в 1924-м и 1925 гг. «Собачье сердце»
ждало своего часа сорок три года. Булгаков-сатирик продол-
жает традиции русской прозы — Гоголя и Салтыкова-Щедри-
на. А в ранних его повестях уже прочитываются наметки
к будущим главам «Мастера и Маргариты».

УДК 821.161.1
ББК 84(2Рос-Рус)6-44

ISBN 978-5-389-01364-3

Дьяволиада

*Повесть о том,
как близнецы погубили
делопроизводителя*

I. ПРОИСШЕСТВИЕ 20-го ЧИСЛА

В то время, как все люди скакали с одной службы на другую, товарищ Коротков прочно служил в Главцентрбазспимате (Главная Центральная База Спичечных Материалов) на штатной должности делопроизводителя и прослужил в ней целых одиннадцать месяцев.

Пригревшись в Спимате, нежный, тихий блондин Коротков совершенно вытравил у себя в душе мысль, что существуют на свете так называемые превратности судьбы, и привил взамен нее уверенность, что он — Коротков — будет служить в базе до окончания жизни на земном шаре. Но, увы, вышло совсем не так...

20 сентября 1921 года кассир Спимата накрылся своей противной ушастой шапкой, уложил в портфель полосатую ассигновку и уехал. Это было в одиннадцать часов пополуночи.

Вернулся же кассир в четыре с половиной часа пополудни, совершенно мокрый. Приехав, он стряхнул с шапки воду, положил шапку на стол, а на шапку — портфель и сказал:

— Не напирайте, господа.

Потом пошарил зачем-то в столе, вышел из комнаты и вернулся через четверть часа с большой мертвой курицей со свернутой шеей. Курицу он положил на портфель, на курицу — свою правую руку и молвил:

— Денег не будет.

— Завтра? — хором закричали женщины.

— Нет, — кассир замотал головой, — и завтра не будет, и послезавтра. Не налезайте, господа, а то вы мне, товарищи, стол опрокинете.

— Как? — вскричали все, и в том числе наивный Коротков.

— Граждане! — плачущим голосом запел кассир и локтем отмахнулся от Короткова. — Я же прошу!

— Да как же? — кричали все и громче всех этот комик Коротков.

— Ну, пожалуйста, — сипло пробормотал кассир и, вытащив из портфеля ассигновку, показал ее Короткову.

Над тем местом, куда тыкал грязный ноготь кассира, наискось было написано красными чернилами:

«Выдать. За т. Субботникова — *Сенат*».

Ниже фиолетовыми чернилами было написано:

«Денег нет. За т. Иванова — *Смирнов*».

— Как? — крикнул один Коротков, а остальные, пыхтя, навалились на кассира.

— Ах ты, Господи! — растерянно заныл тот. — При чем я тут? Боже ты мой!

Торопливо засунув ассигновку в портфель, он накрылся шапкой, портфель сунул под мышку, взмахнул курицей, крикнул: «Пропустите, пожалуйста!» — и, проломив брешь в живой стене, исчез в дверях.

За ним с писком побежала бледная регистраторша на высоких заостренных каблуках, левый каблук у самых дверей с хрустом отвалился, регистраторша качнулась, подняла ногу и сняла туфлю.

И в комнате осталась она, босая на одну ногу, и все остальные, в том числе и Коротков.

II. ПРОДУКТЫ ПРОИЗВОДСТВА

Через три дня после описанного события дверь отдельной комнаты, где занимался товарищ Коротков, приоткрылась, и женская заплаканная голова злобно сказала:

— Товарищ Коротков, идите жалованье получать.

— Как? — радостно воскликнул Коротков и, насвистывая увертюру из «Кармен», побежал в комнату с надписью: «Касса». У кассирского стола он остановился и широко открыл рот. Две толстые колонны, состоящие из желтых пачек, возвышались до самого потолка. Чтобы не отвечать ни на какие вопросы, потный и взволнованный кассир кнопкой пришпилил к стене ассигновку, на которой теперь имелась третья надпись зелеными чернилами:

«Выдать продуктами производства.
За т. Богоявленского — *Преображенский*.
И я полагаю. — *Кшесинский*».

Коротков вышел от кассира, широко и глупо улыбаясь. В руках у него было четыре больших желтых пачки, пять маленьких зеленых, а в карманах тринадцать синих коробок спичек. У себя в комнате, прислушиваясь к гулу изумленных голосов в канцелярии, он упаковал спички в два огромных листа сегодняшней газеты и, не сказавшись никому, отбыл со службы домой. У подъезда Спимата он чуть не попал под автомобиль, в котором кто-то подъехал, но кто именно, Коротков не разглядел.

Прибыв домой, он выложил спички на стол и, отойдя, полюбовался на них. Глупая улыбка не сходила с его лица. Затем Коротков взъерошил белокурые волосы и сказал самому себе:

— Ну-с, унывать тут долго нечего. Постараемся их продать.

Он постучался к соседке своей, Александре Федоровне, служащей в губвинскладе.

— Войдите, — глухо отозвалось в комнате.

Коротков вошел и изумился. Преждевременно вернувшаяся со службы Александра Федоровна в пальто и шапочке сидела на корточках на полу. Перед нею стоял строй бутылок с пробками из газетной бумаги, наполненных жидкостью густого красного цвета. Лицо у Александры Федоровны было заплакано.

— Сорок шесть, — сказала она и повернулась к Короткову.

— Это чернила?.. Здравствуйте, Александра Федоровна, — вымолвил пораженный Коротков.

— Церковное вино, — всхлипнув, ответила соседка.

— Как, и вам? — ахнул Коротков.

— И вам церковное? — изумилась Александра Федоровна.

— Нам — спички, — угасшим голосом ответил Коротков и закрутил пуговицу на пиджаке.

— Да ведь они же не горят! — вскричала Александра Федоровна, поднимаясь и отряхивая юбку.

— Как это так, не горят? — испугался Коротков и бросился к себе в комнату. Там, не теряя ни минуты, он схватил коробку, с треском распечатал ее и чиркнул спичкой. Она с шипеньем вспыхнула зеленоватым огнем, переломилась и погасла. Коротков, задохнувшись от едкого серного запаха, болезненно закашлялся и зажег вторую. Та выстрелила, и два огня брызнули от нее. Первый попал в оконное стекло, а второй — в левый глаз товарища Короткова.

— А-ах! — крикнул Коротков и выронил коробку.

Несколько мгновений он перебирал ногами, как горячая лошадь, и зажимал глаз ладонью. Затем с ужасом заглянул в бритвенное зеркальце, уверенный, что лишился глаза. Но глаз оказался на месте. Правда, он был красен и источал слезы.

— Ах, Боже мой! — расстроился Коротков, немедленно достал из комода американский индивидуальный пакет, вскрыл его, обвязал левую половину головы и стал похож на раненного в бою.

Всю ночь Коротков не гасил огня и лежал, чиркая спичками. Вычиркал он таким образом три коробки, причем ему удалось зажечь шестьдесят три спички.

— Врет, дура, — ворчал Коротков, — прекрасные спички.

Под утро комната наполнилась удушливым серным запахом. На рассвете Коротков уснул и увидал дурацкий, страшный сон: будто бы на зеленом лугу очутился перед ним огромный, живой бильярдный шар на ножках. Это было так скверно, что Коротков закричал и проснулся. В мутной мгле еще секунд пять ему мерещилось, что шар тут, возле постели, и очень сильно пахнет серой. Но потом все это пропало; поворочавшись, Коротков заснул и уже не просыпался.

III. ЛЫСЫЙ ПОЯВИЛСЯ

На следующее утро Коротков, сдвинув повязку, убедился, что глаз его почти выздоровел. Тем не менее повязку излишне осторожный Коротков решил пока не снимать.

Явившись на службу с крупным опозданием, хитрый Коротков, чтобы не возбуждать кривотолков среди низших служащих, прямо прошел к себе в комнату и на столе нашел бумагу, в коей заведующий подотделом укомплектования запрашивал заведующего базой, — будет ли выдано машинисткам обмундирование. Прочитав бумагу правым глазом, Коротков взял ее и отправился по коридору к кабинету заведующего базой т. Чекушина.

И вот у самых дверей в кабинет Коротков столкнулся с неизвестным, поразившим его своим видом.

Этот незнакомый был настолько маленького роста, что достигал высокому Короткову только до талии. Недостаток роста искупался чрезвычайной шириной плеч неизвестного. Квадратное туловище сидело на искривленных ногах, причем левая была хромая. Но примечательнее всего была голова. Она представляла собою точную гигантскую модель яйца, насаженного на шею горизонтально и острым концом вперед. Лысой она была тоже, как яйцо, и настолько блестящей, что на темени у неизвестного, не угасая, горели электрические лампочки. Крохотное лицо неизвестного было выбрито до синевы, и зеленые маленькие, как булавочные головки, глаза сидели в глубоких впадинах. Тело неизвестного было облечено в расстегнутый, сшитый из серого одеяла френч, из-под которого выглядывала малороссийская вышитая рубашка, ноги в штанах из такого же материала и низеньких с вырезом сапожках гусара времен Александра I.

«Т-типик», — подумал Коротков и устремился к двери Чекушина, стараясь миновать лысого. Но тот совершенно неожиданно загородил Короткову дорогу.

— Что вам надо? — спросил лысый Короткова таким голосом, что нервный делопроизводитель вздрогнул. Этот голос был совершенно похож на голос медного таза и отличался таким тембром, что у каждого, кто его слышал, при каждом слове происходило вдоль позвоночника ощущение шершавой проволоки. Кроме того, Короткову показалось, что слова неизвестного пахнут спичками. Несмотря на все это, недальновидный Коротков сделал то, чего делать ни в коем случае не следовало, — обиделся.

— Гм... довольно странно... Я иду с бумагой... А позвольте узнать, кто вы так...

— А вы видите, что на двери написано?

Коротков посмотрел на дверь и увидал давно знакомую надпись: «Без доклада не входить».

— Я и иду с докладом, — сглупил Коротков, указывая на свою бумагу.

Лысый квадратный неожиданно рассердился. Глазки его вспыхнули желтоватыми искорками.

— Вы, товарищ, — сказал он, оглушая Короткова кастрюльными звуками, — настолько неразвиты, что не понимаете значения самых простых служебных надписей. Я положительно удивляюсь, как вы служили до сих пор. Вообще тут у вас много интересного, например, эти подбитые глаза на каждом шагу. Ну, ничего, это мы все приведем в порядок. («А-а!» — ахнул про себя Коротков.) Дайте сюда!

И с последними словами неизвестный вырвал из рук Короткова бумагу, мгновенно прочел ее, вытащил из кармана штанов обгрызанный химический карандаш, приложил бумагу к стене и косо написал несколько слов.

— Ступайте! — рявкнул он и ткнул бумагу Короткову так, что чуть не выколол ему и последний глаз. Дверь в кабинет взвыла и проглотила неизвестного, а Коротков остался в оцепенении: в кабинете Чекушина не было.

Пришел в себя сконфуженный Коротков через полминуты, когда вплотную налетел на Лидочку де Руни, личную секретаршу т. Чекушина.

— А-ах! — ахнул т. Коротков. Глаз у Лидочки был закутан точно таким же индивидуальным материалом с той разницей, что концы бинта были завязаны кокетливым бантом.

— Что это у вас?

— Спички! — раздраженно ответила Лидочка. — Проклятые.

— Кто там такой? — шепотом спросил убитый Коротков.

— Разве вы не знаете? — зашептала Лидочка. — Новый.

— Как? — пискнул Коротков. — А Чекушин?

— Выгнали вчера, — злобно сказала Лидочка и прибавила, ткнув пальчиком по направлению кабинета: — Ну и гу-усь. Вот это фрукт. Такого противного я в жизнь свою не видала. Орет! Уволить!.. Подштанники лысые! — добавила она неожиданно, так что Коротков выпучил на нее глаз.

— Как фа...

Коротков не успел спросить. За дверью кабинета грянул страшный голос: «Курьера!» Делопроизводитель и секретарша мгновенно разлетелись в разные стороны. Прилетев в свою комнату, Коротков сел за стол и произнес сам себе такую речь:

— Ай, яй, яй... Ну, Коротков, ты влопался. Нужно это дельце исправлять... «Неразвиты»... Хм... Нахал... Ладно! Вот ты увидишь, как это так Коротков неразвит.

И одним глазом делопроизводитель прочел писание лысого. На бумаге стояли кривые слова: «Всем машинисткам и женщинам вообще своевременно будут выданы солдатские кальсоны».

— Вот это здорово! — восхищенно воскликнул Коротков и сладострастно дрогнул, представив себе Лидочку в солдатских кальсонах. Он немедля вытащил чистый лист бумаги и в три минуты сочинил:

«Телефонограмма

Заведующему подотделом укомплектования точка В ответ на отношение ваше за № 0,15 015 (б) от 19-го числа запятая Главспимат сообщает запятая что всем машинисткам и вообще женщинам своевременно будут выданы солдатские кальсоны точка Заведующий тире подпись Делопроизводитель тире Варфоломей Коротков точка».

Он позвонил и явившемуся курьеру Пантелеймону сказал:

— Заведующему на подпись.

Пантелеймон пожевал губами, взял бумагу и вышел.

Четыре часа после этого Коротков прислушивался, не выходя из своей комнаты, в том расчете, чтобы новый заведующий, если вздумает обходить помещение, непременно застал его погруженным в работу. Но никаких звуков из страшного кабинета не доносилось. Раз только долетел смутный чугунный голос, как будто угрожающий кого-то уволить, но кого именно, Коротков не расслышал, хоть и припадал ухом к замочной скважине. В три с половиной часа пополудни за стеной канцелярии раздался голос Пантелеймона:

— Уехали на машине.

Канцелярия тотчас зашумела и разбежалась. Позже всех в одиночестве отбыл домой т. Коротков.

IV. ПАРАГРАФ ПЕРВЫЙ — КОРОТКОВ ВЫЛЕТЕЛ

На следующее утро Коротков с радостью убедился, что глаз его больше не нуждается в лечении повязкой, поэтому он с облегчением сбросил бинт и сразу похорошел и изменился. Напившись чаю на скорую руку, Коротков потушил примус и побежал на службу, стараясь не опоздать, и опоздал на пятьдесят минут из-за того, что трамвай вместо шестого маршрута пошел окружным путем по седьмому, заехал в отдаленные улицы с маленькими домиками и там сломался. Коротков пешком одолел три версты и, запыхавшись, вбежал в канцелярию, как раз когда кухонные часы «Альпийской розы» пробили одиннадцать раз. В канцелярии его ожидало зрелище совершенно необычайное для одиннадцати часов утра. Лидочка де Руни, Милочка Литовцева, Анна Евграфовна, старший бухгалтер Дрозд, инструктор Гитис, Номерацкий, Иванов, Мушка, регистраторша, кассир — словом, вся канцелярия не сидела на своих местах за кухонными столами бывшего ресторана «Альпийской розы», а стояла, сбившись в тесную кучку, у стены, на которой гвоздем была прибита четвертушка бумаги. При входе Короткова наступило внезапное молчание, и все потупились.

— Здравствуйте, господа, что это такое? — спросил удивленный Коротков.

Толпа молча расступилась, и Коротков прошел к четвертушке. Первые строки глянули на него уверенно и ясно, последние сквозь слезливый, ошеломляющий туман.

ПРИКАЗ № 1

§1. За недопустимо халатное отношение к своим обязанностям, вызывающее вопиющую путаницу в важных служебных бумагах, а ровно и за появление на службе в безобразном виде разбитого, по-видимому, в драке лица, тов. Коротков увольняется с сего 26-го числа, с выдачей ему трамвайных денег по 25-е включительно.

Параграф первый был в то же время и последним, а под параграфом красовалась крупными буквами подпись:

Заведующий Кальсонер

Двадцать секунд в пыльном хрустальном зале «Альпийской розы» царило идеальное молчание. При этом лучше всех, глубже и мертвеннее молчал зеленоватый Коротков. На двадцать первой секунде молчание лопнуло.

— Как? Как? — прозвенел два раза Коротков, совершенно как разбитый о каблук альпийский бокал. — Его фамилия Кальсо-нер?..

При страшном слове канцелярские брызнули в разные стороны и вмиг расселись по столам, как вороны на телеграфной проволоке. Лицо Короткова сменило гнилую зеленую плесень на пятнистый пурпур.

— Ай, яй, яй, — загудел в отдалении, выглядывая из гроссбуха, Скворец, — как же вы это так, батюшка, промахнулись? А?

— Я ду-думал, думал... — прохрустел осколками голоса Коротков, — прочитал вместо «Кальсонер» — «кальсоны». Он с маленькой буквы пишет фамилию!

— Подштанники я не одену, пусть он успокоится! — хрустально звякнула Лидочка.

— Тсс! — змеей зашипел Скворец. — Что вы? — Он нырнул, спрятался в гроссбухе и прикрылся страницей.

— А насчет лица он не имеет права! — негромко выкрикнул Коротков, становясь из пурпурного белым, как горностай. — Я нашими же сволочными спичками выжег глаз, как и товарищ де Руни!

— Тише! — пискнул побледневший Гитис. — Что вы? Он вчера испытывал их и нашел превосходными.

Д-р-р-р-р-ррр, — неожиданно зазвенел электрический звонок над дверью... и тотчас тяжелое тело Пантелеймона упало с табурета и покатилось по коридору.

— Нет! Я объяснюсь. Я объяснюсь! — высоко и тонко спел Коротков, потом кинулся влево, кинулся вправо, пробежал шагов десять на месте, искаженно отражаясь в пыльных альпийских зеркалах, вынырнул в коридоре и побежал на свет тусклой лампочки, висящей над надписью: «Отдельные кабинеты». Запыхавшись, он стал перед страшной дверью и очнулся в объятиях Пантелеймона.

— Товарищ Пантелеймон, — заговорил беспокойно Коротков. — Ты меня, пожалуйста, пусти. Мне нужно к заведующему сию минутку...

— Нельзя, нельзя, никого не велено пущать, — захрипел Пантелеймон и страшным запахом луку затушил решимость Короткова, — нельзя. Идите, идите, господин Коротков, а то мне через вас беда будет...

— Пантелеймон, мне же нужно, — угасая, попросил Коротков, — тут, видишь ли, дорогой Пантелеймон, случился приказ... Пусти меня, милый Пантелеймон.

— Ах ты ж, Господи... — в ужасе обернувшись на дверь, забормотал Пантелеймон, — говорю вам, нельзя. Нельзя, товарищ!

В кабинете за дверью грянул телефонный звонок и ухнул в медь тяжкий голос:

— Еду! Сейчас!

Пантелеймон и Коротков расступились: дверь распахнулась, и по коридору понесся Кальсонер в фуражке и с портфелем под мышкой. Пантелеймон впритруску побежал за ним, а за Пантелеймоном, немного поколебавшись, кинулся Коротков. На повороте коридора Коротков, бледный и взволнованный, проскочил под руками Пантелеймона, обогнал Кальсонера и побежал перед ним задом.

— Товарищ Кальсонер, — забормотал он прерывающимся голосом, — позвольте одну минуточку сказать... Тут я по поводу приказа...

— Товарищ! — звякнул бешено стремящийся и озабоченный Кальсонер, сметая Короткова в беге. — Вы же видите, я занят? Еду! Еду!..

— Так я насчет прика...

— Неужели вы не видите, что я занят?.. Товарищ! Обратитесь к делопроизводителю.

Кальсонер выбежал в вестибюль, где помещался на площадке огромный брошенный орган «Альпийской розы».

— Я ж делопроизводитель! — в ужасе облившись потом, визгнул Коротков. — Выслушайте меня, товарищ Кальсонер!

— Товарищ! — заревел, как сирена, ничего не слушая, Кальсонер и, на ходу обернувшись к Пантелеймону, крикнул: — Примите меры, чтоб меня не задерживали!

— Товарищ! — испугавшись, захрипел Пантелеймон. — Что ж вы задерживаете?

И не зная, какую меру нужно принять, принял такую: ухватил Короткова поперек туловища и легонько прижал к себе, как любимую женщину. Мера оказалась действительной, — Кальсонер ускользнул, словно на роликах скатился с лестницы и выскочил в парадную дверь.

— Пит! Пит! — закричала за стеклами мотоциклетка, выстрелила пять раз и, закрыв дымом окна, исчезла. Тут только Пантелеймон выпустил Короткова, вытер пот с лица и проревел:

— Бе-да!

— Пантелеймон... — трясущимся голосом спросил Коротков, — куда он поехал? Скорей скажи, он другого, понимаешь ли...

— Кажись, в Центроснаб.

Коротков вихрем сбежал с лестницы, ворвался в шинельную, схватил пальто и кепку и выбежал на улицу.

V. ДЬЯВОЛЬСКИЙ ФОКУС

Короткову повезло. Трамвай в ту же минуту поравнялся с «Альпийской розой». Удачно прыгнув, Коротков понесся вперед, стукаясь то о тормозное колесо, то о мешки на спинах. Надежда обжигала его сердце. Мотоциклетка почему-то задержалась и теперь тарахтела впереди трамвая, и Коротков то терял из глаз, то вновь обретал квадратную спину в туче синего дыма. Минут пять Короткова колотило и мяло на площадке, наконец у серого здания Центроснаба мотоциклетка стала. Квадратное тело закрылось прохожими и исчезло. Коротков на ходу вырвался из трамвая, повернулся по оси, упал, ушиб колено, поднял кепку и, под носом автомобиля, поспешил в вестибюль.

Покрывая полы мокрыми пятнами, десятки людей шли навстречу Короткову или обгоняли его. Квадратная спина мелькнула на втором марше лестницы, и, задыхаясь, он поспешил за ней. Кальсонер поднимался со странной, неестественной скоростью, и у Короткова сжималось сердце при мысли, что он упустит его. Так и случилось. На пятой площадке, когда делопроизводитель совершенно обессилел, спина растворилась в гуще физиономий, шапок и портфелей. Как молния, Коротков взлетел на площадку и секунду колебался перед дверью, на которой было две надписи. Одна золотая по зеленому, с твердым знаком: «Дортуаръ пепиньерокъ», другая черным по белому, без твердого: «Начканцуправделснаб». Наудачу Коротков устремился в эти двери и увидал стеклянные огромные клетки и много белокурых женщин, бегавших между ними. Коротков открыл первую стеклянную перегородку и увидел за нею какого-то человека в синем костюме. Он лежал на столе и весело смеялся в телефон. Во втором отделении на столе было полное собрание сочинений Шеллера-Михайлова, а возле собрания неизвестная пожилая женщина в платке взвешивала на весах сушеную и дурно пахнущую рыбу. В третьем царил дробный непрерывный грохот и звоночки — там за шестью машинами писали и смеялись шесть светлых, мелкозубых женщин. За последней перегородкой открывалось большое пространство с пухлыми колоннами. Невыносимый треск машин стоял в воздухе, и виднелась масса голов, — женских и мужских, но Кальсонеровой среди них не было. Запутавшись и завертевшись, Коротков остановил первую попавшуюся женщину, пробегавшую с зеркальцем в руках.

— Не видели ли вы Кальсонера?

Сердце в Короткове упало от радости, когда женщина ответила, сделав огромные глаза:

— Да, но он сейчас уезжает. Догоняйте его.

Коротков побежал через колонный зал туда, куда ему указывала маленькая белая рука с блестящими красными ногтями. Проскакав зал, он очутился на узкой и темноватой площадке и увидал открытую пасть освещенного лифта. Сердце ушло в ноги Короткову, — догнал... пасть принимала квадратную одеяльную спину и черный блестящий портфель.

— Товарищ Кальсонер, — прокричал Коротков и окоченел. Зеленые круги в большом количестве запрыгали по площадке. Сетка закрыла стеклянную дверь, лифт тронулся, и квадратная спина, повернувшись, превратилась в богатырскую грудь. Все, все узнал Коротков: и серый френч, и кепку, и портфель, и изюминки глаз. Это был Кальсонер, но Кальсонер с длинной ассирийско-гофрированной бородой, ниспадавшей на грудь. В мозгу Короткова немедленно родилась мысль: «Борода выросла, когда он ехал на мотоциклетке и поднимался по лестнице, — что же это такое?» И затем вторая: «Борода фальшивая, — это что же такое?»

А Кальсонер тем временем начал погружаться в сетчатую бездну. Первыми скрылись ноги, затем живот, борода, последними глазки и рот, выкрикнувший нежные теноровые слова:

— Поздно, товарищ, в пятницу.

«Голос тоже привязной», — стукнуло в коротковском черепе. Секунды три мучительно горела голова, но потом, вспомнив, что никакое колдовство не должно останавливать его, что остановка — гибель, Коротков двинулся к лифту. В сетке показалась поднимающаяся на канате кровля. Томная красавица с блестящими камнями в волосах вышла из-за трубы и, нежно коснувшись руки Короткова, спросила его:

— У вас, товарищ, порок сердца?

— Нет, ох, нет, товарищ, — выговорил ошеломленный Коротков и шагнул к сетке, — не задерживайте меня.

— Тогда, товарищ, идите к Ивану Финогеновичу, — сказала печально красавица, преграждая Короткову дорогу к лифту.

— Я не хочу! — плаксиво вскричал Коротков. — Товарищ! Я спешу. Что вы?

Но женщина осталась непреклонной и печальной.

— Ничего не могу сделать, вы сами знаете, — сказала она и придержала за руку Короткова. Лифт остановился, выплюнул человека с портфелем, закрылся сеткой и опять ушел вниз.

— Пустите меня! — визгнул Коротков и, вырвав руку, с проклятием кинулся вниз по лестнице. Пролетев шесть мраморных маршей и чуть не убив высокую перекрестившуюся старуху в наколке, он оказался внизу возле огромной новой стеклянной стены под надписью вверху серебром по синему: «Дежурные классные дамы» и внизу пером по бумаге: «Справочное». Темный ужас охватил Короткова. За стеной ясно мелькнул Кальсонер. Кальсонер иссиня бритый, прежний и страшный. Он прошел совсем близко от Короткова, отделенный от него лишь тоненьким слоем стекла. Стараясь ни о чем не думать, Коротков кинулся к блестящей медной ручке и потряс ее, но она не подалась.

Скрипнув зубами, он еще раз рванул сияющую медь и тут только в отчаянии разглядел крохотную надпись: «Кругом, через 6-й подъезд».

Кальсонер мелькнул и сгинул в черной нише за стеклом.

— Где шестой? Где шестой? — слабо крикнул он кому-то. Прохожие шарахнулись. Маленькая боковая дверь открылась, и из нее вышел люстриновый старичок в синих очках с огромным списком в руках. Глянув на Короткова поверх очков, он улыбнулся, пожевал губами.

— Что? Все ходите? — зашамкал он. — Ей-богу, напрасно. Вы уж послушайте меня, старичка, бросьте. Все равно я вас уже вычеркнул. Хи-хи.

— Откуда вычеркнули? — остолбенел Коротков.

— Хи. Известно откуда, из списков. Карандашиком — чирк, и готово — хи-кхи, — старичок сладострастно засмеялся.

— Поз... вольте... Откуда же вы меня знаете?

— Хи. Шутник вы, Василий Павлович.

— Я — Варфоломей, — сказал Коротков и потрогал рукой свой холодный и скользкий лоб, — Петрович.

Улыбка на минуту покинула лицо страшного старичка.

Он уставился в лист и сухим пальчиком с длинным когтем провел по строчкам.

— Что ж вы путаете меня? Вот он — Колобков В. П.

— Я — Коротков, — нетерпеливо крикнул Коротков.

— Я и говорю: Колобков, — обиделся старичок. — А вот и Кальсонер. Оба вместе переведены, а на место Кальсонера — Чекушин.

— Что?.. — не помня себя от радости, крикнул Коротков. — Кальсонера выкинули?

— Точно так-с. День всего успел поуправлять, и вышибли.

— Боже! — ликуя, воскликнул Коротков. — Я спасен! Я спасен! — и, не помня себя, он сжал костлявую когтистую руку старичка. Тот улыбнулся. На миг радость Короткова померкла. Что-то странное, зловещее мелькнуло в синих глазных дырках старика. Странна показалась и улыбка, обнажавшая сизые десны. Но тотчас же Коротков отогнал от себя неприятное чувство и засуетился.

— Стало быть, мне сейчас в Спимат нужно бежать?

— Обязательно, — подтвердил старичок, — тут и сказано — в Спимат. Только позвольте вашу книжечку, я пометочку в ней сделаю карандашиком.

Коротков тотчас полез в карман, побледнел, полез в другой, еще пуще побледнел, хлопнул себя по карманам брюк и с заглушенным воплем бросился обратно по лестнице, глядя себе под ноги. Сталкиваясь с людьми, отчаянный Коротков взлетел до самого верха, хотел увидеть красавицу с камнями, у нее что-то спросить, и увидал, что красавица превратилась в уродливого, сопливого мальчишку.

— Голубчик! — бросился к нему Коротков. — Бумажник мой, желтый...

— Неправда это, — злобно ответил мальчишка, — не брал я, врут они.

— Да нет, милый, я не то... не ты... документы.

Мальчишка посмотрел исподлобья и вдруг заревел басом.

— Ах, Боже мой! — в отчаянии вскричал Коротков и понесся вниз к старичку.

Но, когда он прибежал, старичка уже не было. Он исчез. Коротков кинулся к маленькой двери, рванул ручку. Она оказалась запертой. В полутьме пахло чуть-чуть серой.

Мысли закрутились в голове Короткова метелью, и выпрыгнула одна новая: «Трамвай!» Он ясно вдруг вспомнил, как жали его на площадке двое молодых людей, один из них худенький с черными, словно приклеенными, усиками.

— Ах, беда-то, вот уж беда, — бормотал Коротков, — это уж всем бедам беда.

Он выбежал на улицу, пробежал ее до конца, свернул в переулок и очутился у подъезда небольшого здания неприятной архитектуры. Серый человек, косой и мрачный, глядя не на Короткова, а куда-то в сторону, спросил:

— Куда ты лезешь?

— Я, товарищ, Коротков, Вэ Пэ, у которого только что украли документы... Все до единого... Меня забрать могут...

— И очень просто, — подтвердил человек на крыльце.

— Так вот позвольте...

— Пущай Коротков самолично и придет.

— Так я же, товарищ, Коротков.

— Удостоверение дай.

— Украли его у меня только что, — застонал Коротков, — украли, товарищ, молодой человек с усиками.

— С усиками? Это, стало быть, Колобков. Беспременно он. Он в нашем районе специально работает. Ты его теперь по чайным ищи.

— Товарищ, я не могу, — заплакал Коротков, — мне в Спимат нужно, к Кальсонеру. Пустите меня.

— Удостоверение дай, что украли.

— От кого?

— От домового.

Коротков покинул крыльцо и побежал по улице. «В Спимат или к домовому? — подумал он. — У домового прием с утра; в Спимат, стало быть».

В это мгновение часы далеко пробили четыре раза на рыжей башне, и тотчас из всех дверей побежали люди с портфелями. Наступили сумерки, и редкий мокрый снег пошел с неба.

«Поздно, — подумал Коротков, — домой».

VI. ПЕРВАЯ НОЧЬ

В ушке замка торчала белая записка. В сумерках Коротков прочитал ее.

«Дорогой сосед!

Я уезжаю к маме в Звенигород. Оставляю вам в подарок вино. Пейте на здоровье, его никто не хочет покупать. Они в углу.

Ваша *А. Пайкова*»

Косо улыбнувшись, Коротков прогремел замком, в двадцать рейсов перетащил к себе в комнату все бутылки, стоящие в углу коридора, зажег лампу и, как был, в кепке и пальто, повалился на кровать. Как зачарованный, около получаса он смотрел на портрет Кромвеля, растворяющийся в густых сумерках, потом вскочил и внезапно впал в какой-то припадок буйного характера. Сорвав кепку, он швырнул ее в угол, одним взмахом сбросил на пол пачки со спичками и начал топтать их ногами.

— Вот! Вот! Вот! — провыл Коротков и с хрустом давил чертовы коробки, смутно мечтая, что он давит голову Кальсонера.

При воспоминании об яйцевидной голове появилась вдруг мысль о лице бритом и бородатом, и тут Коротков остановился.

— Позвольте... как же это так?.. — прошептал он и провел рукой по глазам. — Это что же? Чего же это я стою и занимаюсь пустяками, когда все это ужасно. Ведь не двойной же он, в самом деле?

Страх пополз через черные окна в комнату, и Коротков, стараясь не глядеть в них, закрыл их шторами. Но от этого не полегчало. Двойное лицо, то обрастая бородой, то внезапно обриваясь, выплывало по временам из углов, сверкая зеленоватыми глазами. Наконец Коротков не выдержал и, чувствуя, что мозг его хочет треснуть от напряжения, тихонечко заплакал.

Наплакавшись и получив облегчение, он поел вчерашней скользкой картошки, потом опять, вернувшись к проклятой загадке, немного поплакал.

— Позвольте... — вдруг пробормотал он, — чего же это я плачу, когда у меня есть вино?

Он залпом выпил пол чайного стакана. Сладкая жидкость подействовала через пять минут, — мучительно заболел левый висок, и жгуче и тошно захотелось пить. Выпив три стакана воды, Коротков от боли в виске совершенно забыл Кальсонера, со стоном содрал с себя верхнюю одежду и, томно закатывая глаза, повалился на постель. «Пирамидону бы...» — шептал он долго, пока мутный сон не сжалился над ним.

VII. ОРГАН И КОТ

В десять часов утра следующего дня Коротков наскоро вскипятил чай, отпил без аппетита четверть стакана и, чувствуя, что предстоит трудный, хлопотливый день, покинул свою комнату и перебежал в тумане через мокрый асфальтовый двор. На двери флигеля было написано: «Домовой». Рука Короткова уже протянулась к кнопке, как глаза его прочитали: «По случаю смерти свидетельства не выдаются».

— Ах ты, Господи, — досадливо воскликнул Коротков, — что же это за неудачи на каждом шагу. — И добавил: — Ну, тогда с документами потом, а сейчас в Спимат. Надо разузнать, как и что. Может, Чекушин уже вернулся.

Пешком, так как деньги все были украдены, Коротков добрался до Спимата и, пройдя вестибюль, прямо направил свои стопы в канцелярию. На пороге канцелярии он приостановился и приоткрыл рот. Ни одного знакомого лица в хрустальном зале не было. Ни Дрозда, ни Анны Евграфовны, словом — никого. За столами, напоминая уже не ворон на проволоке, а трех соколов Алексея Михайловича, сидели три совершенно одинаковых бритых блондина в светло-серых клетчатых костюмах и одна молодая женщина с мечтательными глазами и бриллиантовыми серьгами в ушах. Молодые люди не обратили на Короткова никакого внимания и продолжали скрипеть в гроссбухах, а женщина сделала Короткову глазки. Когда же он в ответ на это растерянно улыбнулся, та надменно улыбнулась и отвернулась. «Странно», — подумал Коротков и, запнувшись о порог, вышел из канцелярии. У двери в свою комнату он поколебался, вздохнул, глядя на старую милую надпись: «Делопроизводитель», открыл дверь и вошел. Свет немедленно померк в коротковских глазах, и пол легонечко качнулся под ногами. За коротковским столом, растопырив локти и бешено строча пером, сидел своей собственной персоной Кальсонер. Гофрированные блестящие волосы закрывали его грудь. Дыхание перехватило у Короткова, пока он глядел на лакированную лысину над зеленым сукном. Кальсонер первый нарушил молчание.

— Что вам угодно, товарищ? — вежливо проворковал он фальцетом.

Коротков судорожно облизнул губы, набрал в узкую грудь большой куб воздуха и сказал чуть слышно:

— Кхм... я, товарищ, здешний делопроизводитель... То есть... ну да, ежели помните приказ...

Изумление изменило резко верхнюю часть лица Кальсонера. Светлые его брови поднялись, и лоб превратился в гармонику.

— Извиняюсь, — вежливо ответил он, — здешний делопроизводитель — я.

Временная немота поразила Короткова. Когда же она прошла, он сказал такие слова:

— А как же? Вчера, то есть. Ах, ну да. Извините, пожалуйста. Впрочем, я спутал. Пожалуйста.

Он задом вышел из комнаты и в коридоре сказал себе хрипло:

— Коротков, припомни-ка, какое сегодня число? И сам же себе ответил:

— Вторник, то есть пятница. Тысяча девятьсот.

Он повернулся, и тотчас перед ним вспыхнули на человеческом шаре слоновой кости две коридорных лампочки, и бритое лицо Кальсонера заслонило весь мир.

— Хорошо! — грохнул таз, и судорога свела Короткова. — Я жду вас. Отлично. Рад познакомиться.

С этими словами он пододвинулся к Короткову и так пожал ему руку, что тот встал на одну ногу, словно аист на крыше.

— Штат я разверстал, — быстро, отрывисто и веско заговорил Кальсонер. — Трое там, — он указал на дверь в канцелярию, — и, конечно, Манечка. Вы — мой помощник. Кальсонер — делопроизводитель. Прежних всех в шею. И идиота Пантелеймона также. У меня есть сведения, что он был лакеем в «Альпийской розе». Я сейчас сбегаю в отдел, а вы пока напишите с Кальсонером отношение насчет всех и в особенности насчет этого, как его... Короткова. Кстати: вы немного похожи на этого мерзавца. Только у того глаз подбитый.

— Я. Нет, — сказал Коротков, качаясь и с отвисшей челюстью, — я не мерзавец. У меня украли все документы. До единого.

— Все? — выкрикнул Кальсонер. — Вздор. Тем лучше.

Он впился в руку тяжело задышавшего Короткова и, пробежав по коридору, втащил его в заветный кабинет и бросил на пухлый кожаный стул, а сам уселся за стол. Коротков, все еще чувствуя странное колебание пола под ногами, съежился и, закрыв глаза, забормотал: «Двадцатое было понедельник, значит, вторник, двадцать первое. Нет. Что я? Двадцать первый год. Исходящий № 0,15, место для подписи, тире, Варфоломей Коротков. Это значит я. Вторник, среда, четверг, пятница, суббота, воскресенье, понедельник. И понедельник на Пэ, и пятница на Пэ, а воскресенье... вскрсс... на Эс, как и среда...»

Кальсонер с треском расчеркнулся на бумаге, хлопнул по ней печатью и ткнул ему. В это мгновенье яростно зазвонил телефон. Кальсонер ухватился за трубку и заорал в нее:

— Ага! Так. Так. Сию минуту приеду.

Он кинулся к вешалке, сорвал с нее фуражку, прикрыл ею лысину и исчез в дверях с прощальными словами:

— Ждите меня у Кальсонера.

Все решительно помутилось в глазах Короткова, когда он прочел написанное на бумажке со штампом:

«Предъявитель сего суть действительно мой помощник т. Василий Павлович Колобков, что действительно верно. *Кальсонер*».

— О-о! — простонал Коротков, роняя на пол бумагу и фуражку. — Что же это такое делается?

В эту же минуту дверь спела визгливо, и Кальсонер вернулся в своей бороде.

— Кальсонер уже удрал? — тоненько и ласково спросил он у Короткова.

Свет кругом потух.

— А-а-а-а-а... — взвыл, не вытерпев пытки, Коротков и, не помня себя, подскочил к Кальсонеру, оскалив зубы. Ужас изобразился на лице Кальсонера до того, что оно сразу пожелтело. Задом навалившись на дверь, он с грохотом отпер ее, провалился в коридор, не удержавшись, сел на корточки, но тотчас выпрямился и бросился бежать с криком:

— Курьер! Курьер! На помощь!

— Стойте. Стойте. Я вас прошу, товарищ... — опомнившись, выкрикнул Коротков и бросился вслед.

Что-то загремело в канцелярии, и соколы вскочили, как по команде. Мечтательные глаза женщины взметнулись у машины.

— Будут стрелять. Будут стрелять! — пронесся ее истерический крик.

Кальсонер выскочил в вестибюль на площадку с органом первым, секунду поколебался, куда бежать, рванулся и, круто срезав угол, исчез за органом. Коротков бросился за ним, поскользнулся и, наверно, разбил бы себе голову о перила, если бы не огромная кривая и черная ручка, торчащая из желтого бока.

Она подхватила полу коротковского пальто, гнилой шевиот с тихим писком расползся, и Коротков мягко сел на холодный пол. Дверь бокового хода за органом со звоном захлопнулась за Кальсонером.

— Боже... — начал Коротков и не кончил.

В грандиозном ящике с запыленными медными трубами послышался странный звук, как будто лопнул стакан, затем пыльное, утробное ворчание, странный хроматический писк и удар колоколов. Потом звучный мажорный аккорд, бодрящая полнокровная струя, и весь желтый трехъярусный ящик заиграл, пересыпая внутри залежи застоявшегося звука:

Шумел, гремел пожар московский...

В черном квадрате двери внезапно появилось бледное лицо Пантелеймона. Миг, и с ним произошла метаморфоза. Глазки его засверкали победным блеском, он вытянулся, хлестнул правой рукой через левую, как будто перекинул невидимую салфетку, сорвался с места и боком, косо, как пристяжная, покатил по лестнице, округлив руки так, словно в них был поднос с чашками.

Ды-ым расстилался по реке-е.

— Что я наделал? — ужаснулся Коротков.

Машина, провернув первые застоявшиеся волны, пошла ровно, тысячеголовым, львиным ревом и звоном наполняя пустынные залы Спимата.

А на стенах ворот кремлевских...

Сквозь вой и грохот и колокола прорвался сигнал автомобиля, и тотчас Кальсонер возвратился через главный вход, — Кальсонер бритый, мстительный и грозный. В зловещем синеватом сиянии он плавно стал подниматься по лестнице. Волосы зашевелились на Короткове, и, взвившись, он через боковые двери по кривой лестнице за органом выбежал на усеянный щебнем двор, а затем на улицу. Как на угонке полетел он по улице, слушая, как вслед ему глухо рокотало здание «Альпийской розы»:

Стоял он в сером сюртуке...

На углу извозчик, взмахивая кнутом, бешено рвал клячу с места.

— Господи! Господи! — бурно зарыдал Коротков.— Опять он! Да что же это?

Кальсонер бородатый вырос из мостовой возле пролетки, вскочил в нее и начал лупить извозчика в спину, приговаривая тоненьким голосом:

— Гони! Гони, негодяй!

Кляча рванула, стала лягать ногами, затем, под жгучими ударами кнута, понеслась, наполнив экипажным грохотом улицу. Сквозь бурные слезы Коротков видел, как лакированная шляпа слетела у извозчика, а из-под нее разлетелись в разные стороны вьющиеся денежные бумажки. Мальчишки со свистом погнались за ними. Извозчик, обернувшись, в отчаянии натянул вожжи, но Кальсонер бешено начал тузить его в спину с воплем:

— Езжай! Езжай! Я заплачу́.

Извозчик, выкрикнув отчаянно:

— Эх, ваше здоровье, погибать, что ли? — пустил клячу карьером, и все исчезло за углом.

Рыдая, Коротков глянул на серое небо, быстро несущееся над головой, пошатался и закричал болезненно:

— Довольно. Я так не оставлю! Я его разъясню. — Он прыгнул и прицепился к дуге трамвая. Дуга пошатала его минут пять и сбросила у девятиэтажного зеленого здания. Вбежав в вестибюль, Коротков просунул голову в четырехугольное отверстие в деревянной загородке и спросил у громадного синего чайника:

— Где бюро претензий, товарищ?

— 8-й этаж, 9-й коридор, квартира 41-я, комната 302, — ответил чайник женским голосом.

— 8-й, 9-й, 41-я, триста... триста... сколько бишь... 302, — бормотал Коротков, взбегая по широкой лестнице. — 8-й, 9-й, 8-й, стоп, 40... нет, 42... нет, 302, — мычал он, — ах, Боже, забыл... да, 40-я, сороковая...

В восьмом этаже он миновал три двери, увидал на четвертой черную цифру «40» и вошел в необъятный двухсветный зал с колоннами. В углах его лежали катушки рулонной бумаги, и весь пол был усеян исписанными бумажными обрывками. В отдалении маячил столик с машинкой, и золотистая женщина, тихо мурлыча песенку, подперев щеку кулаком, сидела за ним. Растерянно оглянувшись, Коротков увидел, как с эстрады за колоннами сошла, тяжело ступая, массивная фигура мужчины в белом кунтуше. Седоватые отвисшие усы виднелись на его мраморном лице. Мужчина, улыбаясь необыкновенно вежливой, безжизненной гипсовой улыбкой, подошел к Короткову, нежно пожал ему руку и молвил, щелкнув каблуками:

— Ян Собесский.

— Не может быть... — ответил пораженный Коротков.

Мужчина приятно улыбнулся.

— Представьте, многие изумляются, — заговорил он с неправильными ударениями, — но вы не подумайте, товарищ, что я имею что-либо общее с этим бандитом. О, нет. Горькое совпадение, больше ничего. Я уже подал заявление об утверждении моей новой фамилии — Соцвосский. Это гораздо красивее и не так опасно. Впрочем, если вам неприятно, — мужчина обидчиво скривил рот, — я не навязываюсь. Мы всегда найдем людей. Нас ищут.

— Помилуйте, что вы,— болезненно выкрикнул Коротков, чувствуя, что и тут начинается что-то странное, как и везде. Он оглянулся травленым взором, боясь, что откуда-нибудь вынырнет бритый лик и лысина-скорлупа, а потом добавил суконным языком: — Я очень рад, да, очень...

Пестрый румянец чуть проступил на мраморном человеке; нежно пожимая руку Короткова, он повлек его к столику, приговаривая:

— И я очень рад. Но вот беда, вообразите: мне даже негде вас посадить. Нас держат в загоне, несмотря на все наше значение (мужчина махнул рукой на катушки бумаги). Интриги... Но-о, мы развернемся, не беспокойтесь... Гм... Чем же вы порадуете нас новеньким? — ласково спросил он у бледного Короткова. — Ах, да, виноват, виноват тысячу раз, позвольте вас познакомить, — он изящно махнул белой рукой в сторону машинки. — Генриетта Потаповна Персимфанс.

Женщина тотчас же пожала холодной рукой руку Короткова и посмотрела на него томно.

— Итак, — сладко продолжал хозяин, — чем же вы нас порадуете? Фельетон? Очерки? — закатив белые глаза, протянул он. — Вы не можете себе представить, до чего они нужны нам.

«Царица небесная... что это такое?» — туманно подумал Коротков, потом заговорил, судорожно переводя дух.

— У меня... э... произошло ужасное. Он... Я не понимаю. Вы не подумайте, ради Бога, что это галлюцинации... Кхм... ха-кха... (Коротков попытался искусственно засмеяться, но это не вышло у него.) Он живой. Уверяю вас... но я ничего не пойму, то с бородой, а через минуту без бороды. Я прямо не понимаю... И голос меняет... кроме того, у меня украли все документы до единого, а домовой, как на грех, умер. Этот Кальсонер...

— Так я и знал, — вскричал хозяин, — это они?

— Ах, Боже мой, ну, конечно, — отозвалась женщина, — ах, эти ужасные Кальсонеры.

— Вы знаете, — перебил хозяин взволнованно, — я из-за него сижу на полу. Вот-с, полюбуйтесь. Ну, что он понимает в журналистике?.. — хозяин ухватил Короткова за пуговицу. — Будьте добры, скажите, что он понимает? Два дня он пробыл здесь и совершенно меня замучил. Но, представьте, счастье. Я ездил к Федору Васильевичу, и тот наконец убрал его. Я поставил вопрос остро: я или он. Его перевели в какой-то Спимат или, черт его знает, еще куда. Пусть воняет там этими спичками! Но мебель, мебель он успел передать в это проклятое бюро. Всю. Не угодно ли? На чем я, позвольте узнать, буду писать? На чем будете писать вы? Ибо я не сомневаюсь, что вы будете наш, дорогой (хозяин обнял Короткова). Прекрасную атласную мебель Луи Каторз этот прохвост безответственным приемом спихнул в это дурацкое бюро, которое завтра все равно закроют к чертовой матери.

— Какое бюро? — глухо спросил Коротков.

— Ах, да эти претензии или как их там, — с досадой сказал хозяин.

— Как? — крикнул Коротков. — Как? Где оно?

— Там, — изумленно ответил хозяин и ткнул рукой в пол.

Коротков в последний раз окинул безумными глазами белый кунтуш и через минуту оказался в коридоре. Подумав немного, он полетел налево, ища лестницы вниз. Минут пять он бежал, следуя прихотливым изгибам коридора, и через пять минут оказался у того места, откуда выбежал. Дверь № 40.

— Ах, черт! — ахнул Коротков, потоптался и побежал вправо и через пять минут опять был там же. № 40. Рванув дверь, Коротков вбежал в зал и убедился, что тот опустел. Лишь машинка безмолвно улыбалась белыми зубами на столе. Коротков подбежал к колоннаде и тут увидал хозяина. Тот стоял на пьедестале уже без улыбки, с обиженным лицом.

— Извините, что я не попрощался... — начал было Коротков и смолк. Хозяин стоял без уха и носа, и левая рука у него была отломлена. Пятясь и холодея, Коротков выбежал опять в коридор. Незаметная потайная дверь напротив вдруг открылась, и из нее вышла сморщенная коричневая баба с пустыми ведрами на коромысле.

— Баба! Баба! — тревожно закричал Коротков. — Где бюро?

— Не знаю, батюшка, не знаю, кормилец, — ответила баба, — да ты не бегай, миленький, все одно не найдешь. Разве мыслимо — десять этажей.

— У-у... д-дура, — стиснув зубы, рыкнул Коротков и бросился в дверь. Она захлопнулась за ним, и Коротков оказался в тупом полутемном пространстве без выхода. Бросаясь в стены и царапаясь, как засыпанный в шахте, он наконец навалился на белое пятно, и оно выпустило его на какую-то лестницу. Дробно стуча, он побежал вниз. Шаги послышались ему навстречу снизу. Тоскливое беспокойство сжало сердце Короткова, и он стал останавливаться. Еще миг — и показалась блестящая фуражка, мелькнуло серое одеяло и длинная борода. Коротков качнулся и вцепился в перила руками. Одновременно скрестились взоры, и оба завыли тонкими голосами страха и боли. Коротков задом стал отступать вверх, Кальсонер попятился вниз, полный неизбывного ужаса.

— Постойте, — прохрипел Коротков, — минутку... вы только объясните...

— Спасите! — заревел Кальсонер, меняя тонкий голос на первый свой медный бас. Оступившись, он с громом упал вниз затылком. Удар не прошел ему даром. Обернувшись в черного кота с фосфорными глазами, он вылетел обратно, стремительно и бархатно пересек площадку, сжался в комок и, прыгнув на подоконник, исчез в разбитом стекле и паутине. Белая пелена на миг заволокла коротковский мозг, но тотчас свалилась, и наступило необыкновенное прояснение.

— Теперь все понятно, — прошептал Коротков и тихонько рассмеялся, — ага, понял. Вон оно что. Коты! Все понятно. Коты.

Он начал смеяться все громче, громче, пока вся лестница не наполнилась гулкими раскатами.

VIII. ВТОРАЯ НОЧЬ

В сумерки товарищ Коротков, сидя на байковой кровати, выпил три бутылки вина, чтобы все забыть и успокоиться. Голова теперь у него болела вся: правый и левый висок, затылок и даже веки. Легкая муть поднималась со дна желудка, ходила внутри волнами, и два раза тов. Короткова рвало в таз.

— Я вот так сделаю, — слабо шептал Коротков, свесив вниз голову, — завтра я постараюсь не встречаться с ним. Но так как он вертится всюду, то я пережду. Пережду: в переулочке или тупичке. Он себе мимо и пройдет. А если он погонится за мной, я убегу. Он и отстанет. Иди себе, мол, своей дорогой. И я уж больше не хочу в Спимат. Бог с тобой. Служи себе и заведующим, и делопроизводителем, и трамвайных денег я не хочу. Обойдусь и без них. Только ты уж меня, пожалуйста, оставь в покое. Кот ты или не кот, с бородой или без бороды, — ты сам по себе, я сам по себе. Я себе другое местечко найду и буду служить тихо и мирно. Ни я никого не трогаю, ни меня никто. И претензий на тебя никаких подавать не буду. Завтра только выправлю себе документы — и шабаш...

В отдалении глухо начали бить часы... Бам... бам... «Это у Пеструхиных», — подумал Коротков и стал считать. Десять... одиннадцать... полночь, тринадцать, четырнадцать, пятнадцать... сорок...

— Сорок раз пробили часики, — горько усмехнулся Коротков, а потом опять заплакал. Потом его опять судорожно и тяжко стошнило церковным вином.

— Крепкое, ох, крепкое вино, — выговорил Коротков и со стоном откинулся на подушку. Прошло часа два, и непотушенная лампа освещала бледное лицо на подушке и растрепанные волосы.

IX. МАШИННАЯ ЖУТЬ

Осенний день встретил тов. Короткова расплывчато и странно. Боязливо озираясь на лестнице, он взобрался на восьмой этаж, повернул наобум направо и радостно вздрогнул. Нарисованная рука указывала ему на надпись: «Комнаты 302—349». Следуя пальцу спасительной руки, он добрался до двери с надписью: «302 — бюро претензий». Осторожно заглянув в нее, чтобы не столкнуться с кем не надо, Коротков вошел и очутился перед семью женщинами за машинками. Поколебавшись немного, он подошел к крайней — смуглой и матовой, поклонился и хотел что-то сказать, но брюнетка вдруг перебила его. Взоры всех женщин устремились на Короткова.

— Выйдем в коридор, — резко сказала матовая и судорожно поправила прическу.

«Боже мой, опять, опять что-то...» — тоскливо мелькнуло в голове Короткова. Тяжело вздохнув, он повиновался. Шесть оставшихся взволнованно зашушукали вслед.

Брюнетка вывела Короткова и в полутьме пустого коридора сказала:

— Вы ужасны... Из-за вас я не спала всю ночь и решилась. Будь по-вашему. Я отдамся вам.

Коротков посмотрел на смуглое с огромными глазами лицо, от которого пахло ландышем, издал какой-то гортанный звук и ничего не сказал. Брюнетка закинула голову, страдальчески оскалила зубы, схватила руки Короткова, притянула его к себе и зашептала:

— Что ж ты молчишь, соблазнитель? Ты покорил меня своею храбростью, мой змий. Целуй же меня, целуй скорее, пока нет никого из контрольной комиссии.

Опять странный звук вылетел изо рта Короткова. Он пошатнулся, ощутил на своих губах что-то сладкое и мягкое, и огромные зрачки оказались у самых глаз Короткова.

— Я отдамся тебе... — шепнуло у самого рта Короткова.

— Мне не надо, — сипло ответил он, — у меня украли документы.

— Тэк-с, — вдруг раздалось сзади.

Коротков обернулся и увидал люстринового старичка.

— А-ах! — вскрикнула брюнетка и, закрыв лицо руками, убежала в дверь.

— Хи, — сказал старичок, — здорово. Куда ни придешь, вы, господин Колобков. Ну, и хват же вы. Да что там, целуй не целуй, не выцелуете командировку. Мне, старичку, дали, мне и ехать. Вот что-с.

С этими словами он показал Короткову сухенький маленький шиш.

— А заявленьице я на вас подам, — злобно продолжал люстрин, — да-с. Растлили трех в главном отделе, теперь, стало быть, до подотделов добираетесь? Что их ангелочки теперь плачут, это вам все равно? Горюют они теперь, бедные девочки, да ау, поздно-с. Не воротишь девичьей чести. Не воротишь.

Старичок вытащил большой носовой платок с оранжевыми букетами, заплакал и засморкался.

— Из рук старичка подъемные крохи желаете выдрать, господин Колобков? Что ж... — Старичок затрясся и зарыдал, уронил портфель. — Берите, кушайте. Пущай беспартийный, сочувствующий старичок с голоду помирает... Пущай, мол. Туда ему и дорога, старой собаке. Ну, только помните, господин Колобков, — голос старичка стал пророчески грозным и налился колоколами, — не пойдут они вам впрок, денежки эти сатанинские. Колом в горле они у вас станут, — и старичок разлился в буйных рыданиях.

Истерика овладела Коротковым; внезапно и неожиданно для самого себя он дробно затопал ногами.

— К чертовой матери! — тонко закричал он, и его больной голос разнесся по сводам. — Я не Колобков. Отлезь от меня! Не Колобков. Не еду! Не еду!

Он начал рвать на себе воротничок.

Старичок мгновенно высох, от ужаса задрожал.

— Следующий! — каркнула дверь. Коротков смолк и кинулся в нее, свернул влево, миновав машинки, и очутился перед рослым, изящным блондином в синем костюме. Блондин кивнул Короткову головой и сказал:

— Покороче, товарищ. Разом. В два счета. Полтава или Иркутск?

— Документы украли, — дико озираясь, ответил растерзанный Коротков, — и кот появился. Не имеет права. Я никогда в жизни не дрался, это спички. Преследовать не имеет права. Я не посмотрю, что он Кальсонер. У меня украли до...

— Ну, это вздор, — ответил синий, — обмундирование дадим, и рубахи, и простыни. Если в Иркутск, так даже и полушубок подержанный. Короче.

Он музыкально звякнул ключом в замке, выдвинул ящик и, заглянув в него, приветливо сказал:

— Пожалте, Сергей Николаевич.

И тотчас из ясеневого ящика выглянула причесанная, светлая, как лен, голова и синие бегающие глаза. За ними изогнулась, как змеиная, шея, хрустнул крахмальный воротничок, показался пиджак, руки, брюки, и через секунду законченный секретарь, с писком: «Доброе утро», вылез на красное сукно. Он встряхнулся, как выкупавшийся пес, соскочил, заправил поглубже манжеты, вынул из карманчика патентованное перо и в ту же минуту застрочил.

Коротков отшатнулся, протянул руку и жалобно сказал синему:

— Смотрите, смотрите, он вылез из стола. Что же это такое?..

— Естественно, вылез, — ответил синий, — не лежать же ему весь день. Пора. Время. Хронометраж.

— Но как? Как? — зазвенел Коротков.

— Ах ты, Господи, — взволновался синий, — не задерживайте, товарищ.

Брюнеткина голова вынырнула из двери и крикнула возбужденно и радостно:

— Я уже заслала его документы в Полтаву. И я еду с ним. У меня тетка в Полтаве под 43 градусом широты и 5-м долготы.

— Ну и чудесно, — ответил блондин, — а то мне надоела эта волынка.

— Я не хочу! — вскричал Коротков, блуждая взором. — Она будет мне отдаваться, а я терпеть этого не могу. Не хочу! Верните документы. Священную мою фамилию. Восстановите!

— Товарищ, это в отделе брачующихся, — запищал секретарь, — мы ничего не можем сделать.

— О, дурашка! — воскликнула брюнетка, выглянув опять. — Соглашайся! Соглашайся! — кричала она суфлерским шепотом. Голова ее то скрывалась, то появлялась.

— Товарищ! — зарыдал Коротков, размазывая по лицу слезы. — Товарищ! Умоляю тебя, дай документы. Будь другом. Будь, прошу тебя всеми фибрами души, и я уйду в монастырь.

— Товарищ! Без истерики. Конкретно и абстрактно изложите письменно и устно, срочно и секретно — Полтава или Иркутск? Не отнимайте время у занятого человека! По коридорам не ходить! Не плевать! Не курить! Разменом денег не затруднять! — выйдя из себя загремел блондин.

— Рукопожатия отменяются! — кукарекнул секретарь.

— Да здравствуют объятия! — страстно шепнула брюнетка и, как дуновение, пронеслась по комнате, обдав ландышем шею Короткова.

— Сказано в заповеди тринадцатой: не входи без доклада к ближнему твоему, — прошамкал люстриновый и пролетел по воздуху, взмахивая полами крылатки... — Я и не вхожу, не вхожу-с, — а бумажку все-таки подброшу, вот так, хлоп!.. подпишешь любую — и на скамье подсудимых. — Он выкинул из широкого черного рукава пачку белых листов, и они разлетелись и усеяли столы, как чайки скалы на берегу.

Муть заходила в комнате, и окна стали качаться.

— Товарищ блондин, — плакал истомленный Коротков, — застрели ты меня на месте, но выправь ты мне какой ни на есть документик. Руку я тебе поцелую.

В мути блондин стал пухнуть и вырастать, не переставая ни на минуту бешено подписывать старичковы листки и швырять их секретарю, который ловил их с радостным урчаньем.

— Черт с ним! — загремел блондин. — Черт с ним. Машинистки, гей!

Он махнул огромной рукой, стена перед глазами Короткова распалась, и тридцать машин на столах, звякнув звоночками, заиграли фокстрот. Колыша бедрами, сладострастно поводя плечами, взбрасывая кремовыми ногами белую пену, парадом-алле двинулись тридцать женщин и пошли вокруг столов.

Белые змеи бумаги полезли в пасти машин, стали свиваться, раскраиваться, сшиваться. Вылезли белые брюки с фиолетовыми лампасами. «Предъявитель сего есть действительно предъявитель, а не какая-нибудь шантрапа».

— Надевай! — грохнул блондин в тумане.

— И-и-и-и, — тоненько заскулил Коротков и стал биться головой об угол блондинова стола. Голове полегчало на минутку, и чье-то лицо в слезах метнулось перед Коротковым.

— Валерьянки! — крикнул кто-то на потолке.

Крылатка, как черная птица, закрыла свет, старичок зашептал тревожно:

— Теперь одно спасенье — к Дыркину в пятое отделение. Ходу! Ходу!

Запахло эфиром, потом руки нежно вынесли Короткова в полутемный коридор. Крылатка обняла Короткова и повлекла, шепча и хихикая:

— Ну, я уж им удружил: такое подсыпал на столы, что каждому из них достанется не меньше пяти лет с поражением на поле сражения. Ходу! Ходу!

Крылатка порхнула в сторону, потянуло ветром и сыростью из сетки, уходящей в пропасть.

X. СТРАШНЫЙ ДЫРКИН

Зеркальная кабина стала падать вниз, и двое Коротковых упали вниз. Второго Короткова первый и главный забыл в зеркале кабины и вышел один в прохладный вестибюль. Очень толстый и розовый в цилиндре встретил Короткова словами:

— И чудесно. Вот я вас и арестую.

— Меня нельзя арестовать, — ответил Коротков и засмеялся сатанинским смехом, — потому что я неизвестно кто. Кончено. Ни арестовать, ни женить меня нельзя. А в Полтаву я не поеду.

Толстый человек задрожал в ужасе, поглядел в зрачки Короткову и стал оседать назад.

— Арестуй-ка, — пискнул Коротков и показал толстяку дрожащий бледный язык, пахнущий валерьянкой, — как ты арестуешь, ежели вместо документов — фига? Может быть, я Гогенцоллерн.

— Господи Иисусе, — сказал толстяк, трясущейся рукой перекрестился и превратился из розового в желтого.

— Кальсонер не попадался? — отрывисто спросил Коротков и оглянулся. — Отвечай, толстун.

— Никак нет, — ответил толстяк, меняя желтую окраску на серенькую.

— Как же теперь быть? А?

— К Дыркину, не иначе, — пролепетал толстяк, — к нему самое лучшее. Только грозен. Ух, грозен! И не подходи. Двое уж от него сверху вылетели. Телефон сломал нынче.

— Ладно, — ответил Коротков и залихватски сплюнул, — нам теперь все равно. Подымай!

— Ножку не ушибите, товарищ уполномоченный, — нежно сказал толстяк, подсаживая Короткова в лифт.

На верхней площадке попался маленький лет шестнадцати и страшно закричал:

— Куда ты? Стой!

— Не бей, дяденька, — сказал толстяк, съежившись и закрыв голову руками, — к самому Дыркину.

— Проходи, — крикнул маленький.

Толстяк зашептал:

— Вы уж идите, ваше сиятельство, а я здесь на скамеечке вас подожду. Больно жутко...

Коротков попал в темную переднюю, а из нее в пустынный зал, в котором был распростерт голубой вытертый ковер.

Перед дверью с надписью «Дыркин» Коротков немного поколебался, но потом вошел и оказался в уютно обставленном кабинете с огромным малиновым столом и часами на стене. Маленький пухлый Дыркин вскочил на пружине из-за стола и, вздыбив усы, рявкнул:

— М-молчать!.. — хоть Коротков еще ровно ничего не сказал.

В ту же минуту в кабинете появился бледный юноша с портфелем. Лицо Дыркина мгновенно покрылось улыбковыми морщинами.

— А-а! — вскричал он сладко. — Артур Артурыч. Наше вам.

— Слушай, Дыркин, — заговорил юноша металлическим голосом, — ты написал Пузыреву, что будто бы я учредил в эмеритурной кассе свою единоличную диктатуру и попер эмеритурные майские деньги? Ты? Отвечай, паршивая сволочь.

— Я?.. — забормотал Дыркин, колдовски превращаясь из грозного Дыркина в Дыркина добряка. — Я, Артур Диктатурыч... Я, конечно... Вы это напрасно...

— Ах ты, мерзавец, мерзавец, — раздельно сказал юноша, покачал головой и, взмахнув портфелем, треснул им Дыркина по уху, словно блин выложил на тарелку.

Коротков машинально охнул и застыл.

— То же будет и тебе, и всякому негодяю, который позволит себе совать нос в мои дела, — внушительно сказал юноша и, погрозив на прощание Короткову красным кулаком, вышел.

Минуты две в кабинете стояло молчание, и лишь подвески на канделябрах звякали от проехавшего где-то грузовика.

— Вот, молодой человек, — горько усмехнувшись, сказал добрый и униженный Дыркин, — вот и награда за усердие. Ночей недосыпаешь, недоедаешь, недопиваешь, а результат всегда один — по морде. Может быть, и вы с тем же пришли? Что ж... Бейте Дыркина, бейте. Морда у него, видно, казенная. Может быть, вам рукой больно? Так вы канделябрик возьмите.

И Дыркин соблазнительно выставил пухлые щеки из-за письменного стола. Ничего не понимая, Коротков косо и застенчиво улыбнулся, взял канделябр за ножку и с хрустом ударил Дыркина по голове свечами. Из носа у того закапала на сукно кровь, и он, крикнув «караул», убежал через внутреннюю дверь.

— Ку-ку! — радостно крикнула лесная кукушка и выскочила из нюренбергского разрисованного домика на стене.

— Ку-клукс-клан! — закричала она и превратилась в лысую голову.— Запишем, как вы работников лупите!

Ярость овладела Коротковым. Он взмахнул канделябром и ударил им в часы. Они ответили громом и брызгами золотых стрелок. Кальсонер выскочил из часов, превратился в белого петушка с надписью «исходящий» и юркнул в дверь. Тотчас за внутренними дверями разлился вопль Дыркина: «Лови его, разбойника!» — и тяжкие шаги людей полетели со всех сторон. Коротков повернулся и бросился бежать.

XI. ПАРФОРСНОЕ КИНО И БЕЗДНА

С площадки толстяк скакнул в кабину, забросился сетками и ухнул вниз, а по огромной, изгрызенной лестнице побежали в таком порядке: первым — черный цилиндр толстяка, за ним — белый исходящий петух, за петухом — канделябр, пролетевший в вершке над острой белой головкой, затем Коротков, шестнадцатилетний с револьвером в руке и еще какие-то люди, топочущие подкованными сапогами. Лестница застонала бронзовым звоном, и тревожно захлопали двери на площадках.

Кто-то свесился с верхнего этажа вниз и крикнул в рупор:

— Какая секция переезжает? Несгораемую кассу забыли!

Женский голос внизу ответил:

— Бандиты!!

В огромные двери на улицу Коротков, обогнав цилиндр и канделябр, выскочил первым и, заглотав огромную порцию раскаленного воздуха, полетел на улицу. Белый петушок провалился сквозь землю, оставив серный запах, черная крылатка соткалась из воздуха и поплелась рядом с Коротковым с криком тонким и протяжным:

— Артельщиков бьют, товарищи!

По пути Короткова прохожие сворачивали в стороны и вползали в подворотни, вспыхивали и гасли короткие свистки. Кто-то бешено порскал, улюлюкал, и загорались тревожные, сиплые крики: «Держи!» С дробным грохотом опускались железные шторы, и какой-то хромой, сидя на трамвайной линии, визжал:

— Началось!

Выстрелы летели теперь за Коротковым частые, веселые, как елочные хлопушки, и пули жикали то сбоку, то сверху. Рычащий, как кузнечный мех, Коротков стремился к гиганту — одиннадцатиэтажному зданию, выходящему боком на улицу и фасадом в тесный переулок. На самом углу стеклянная вывеска с надписью «Restoran i pivo» треснула звездой, и пожилой извозчик пересел с козел на мостовую с томным выражением лица и словами:

— Здорово! Что же вы, братцы, в кого попало, стало быть?..

Выбежавший из переулка человек сделал попытку ухватить Короткова за полу пиджака, и пола осталась у него в руках. Коротков завернул за угол, пролетел несколько саженей и вбежал в зеркальное пространство вестибюля. Мальчик в галунах и золоченых пуговках отскочил от лифта и заплакал.

— Садись, дядя. Садись! — проревел он. — Только не бей сироту!

Коротков вонзился в коробку лифта, сел на зеленый диван напротив другого Короткова и задышал, как рыба на песке. Мальчишка, всхлипывая, влез за ним, закрыл дверь, ухватился за веревку, и лифт поехал вверх. И тотчас внизу, в вестибюле, загремели выстрелы и завертелись стеклянные двери.

Лифт мягко и тошно шел вверх, мальчишка, успокоившись, утирал нос одной рукой, а другой перебирал веревку.

— Деньги покрал, дяденька? — с любопытством спросил он, всматриваясь в растерзанного Короткова.

— Кальсонера... атакуем... — задыхаясь, отвечал Коротков, — да он в наступление перешел...

— Тебе, дяденька, лучше всего на самый верх, где бильярдные, — посоветовал мальчишка, — там на крыше отсидишься, если с маузером.

— Давай наверх... — согласился Коротков.

Через минуту лифт плавно остановился, мальчишка распахнул двери и, шмыгнув носом, сказал:

— Вылазь, дяденька, сыпь на крышу.

Коротков выпрыгнул, осмотрелся и прислушался. Снизу донесся нарастающий, поднимающийся гул, сбоку — стук костяных шаров через стеклянную перегородку, за которой мелькали встревоженные лица. Мальчишка шмыгнул в лифт, заперся и провалился вниз.

Орлиным взором окинув позицию, Коротков поколебался мгновение и с боевым кличем «вперед!» вбежал в бильярдную. Замелькали зеленые площади с лоснящимися белыми шарами и бледные лица. Снизу совсем близко бухнул в оглушительном эхо выстрел, и со звоном где-то посыпались стекла. Словно по сигналу, игроки побросали кии и гуськом, топоча, кинулись в боковые двери. Коротков, мотнувшись, запер за ними дверь на крюк, с треском запер входную стеклянную дверь, ведущую с лестницы в бильярдную, и вмиг вооружился шарами. Прошло несколько секунд, и возле лифта выросла первая голова за стеклом. Шар вылетел из рук Короткова, со свистом прошел через стекло, и голова мгновенно исчезла. На ее месте сверкнул бледный огонь и выросла вторая голова, за ней — третья. Шары полетели один за другим, и стекла полопались в перегородке. Перекатывающийся стук покрыл лестницу, и в ответ ему, как оглушительная зингеровская швейка, завыл и затряс все здание пулемет. Стекла и рамы вырезало в верхней части, как ножом, и тучей пудры понеслась штукатурка по всей бильярдной.

Коротков понял, что позицию удержать нельзя. Разбежавшись, закрыв голову руками, он ударил ногами в третью стеклянную стену, за которой начиналась плоская асфальтированная кровля громады. Стена треснула и высыпалась. Коротков под бушующим огнем успел выкинуть на крышу пять пирамид, и они разбежались по асфальту, как отрубленные головы. Вслед за ними выскочил Коротков, и очень вовремя, потому что пулемет взял ниже и вырезал всю нижнюю часть рамы.

— Сдавайся! — смутно донеслось до него.

Перед Коротковым сразу открылось худосочное солнце над самой головой, бледненькое небо, ветерок и промерзший асфальт. Снизу и снаружи город дал знать тревожным, смягченным гулом. Попрыгав на асфальте и оглянувшись, подхватив три шара, Коротков подскочил к парапету, влез на него и глянул вниз. Сердце его замерло. Открылись перед ним кровли домов, казавшихся приплюснутыми и маленькими, площадь, по которой ползали трамваи, и жучки-народ, и тотчас Коротков разглядел серенькие фигурки, проплясавшие к подъезду по щели переулка, а за ними тяжелую игрушку, усеянную золотыми сияющими головками.

— Окружили! — ахнул Коротков. — Пожарные.

Перегнувшись через парапет, он прицелился и пустил один за другим три шара. Они взвились, затем, описав дугу, ухнули вниз. Коротков подхватил еще одну тройку, опять влез и, размахнувшись, выпустил и их.

Шары сверкнули, как серебряные, потом, снизившись, превратились в черные, потом опять засверкали и исчезли. Короткову показалось, что жучки забегали встревоженно на залитой солнцем площади. Коротков наклонился, чтобы подхватить еще порцию снарядов, но не успел. С несмолкающим хрустом и треском стекол в проломе бильярдной показались люди. Они сыпались как горох, выскакивая на крышу. Вылетели серые фуражки, серые шинели, а через верхнее стекло, не касаясь земли, вылетел люстриновый старичок. Затем стена совсем распалась, и грозно выкатился на роликах страшный бритый Кальсонер со старинным мушкетоном в руках.

— Сдавайся! — завыло спереди, сзади и сверху, и все покрыл невыносимый, оглушающий кастрюльный бас.

— Кончено,— слабо прокричал Коротков,— кончено. Бой проигран. Та-та-та! — запел он губами трубный отбой.

Отвага смерти хлынула ему в душу. Цепляясь и балансируя, Коротков взобрался на столб парапета, покачнулся на нем, вытянулся во весь рост и крикнул:

— Лучше смерть, чем позор!

Преследователи были в двух шагах. Уже Коротков видел протянутые руки, уже выскочило пламя изо рта Кальсонера. Солнечная бездна поманила Короткова так, что у него захватило дух. С пронзительным победным кликом он подпрыгнул и взлетел вверх. Вмиг перерезало ему дыхание. Неясно, очень неясно он видел, как серое с черными дырами, как от взрыва, взлетело мимо него вверх. Затем очень ясно увидел, что серое упало вниз, а сам он поднялся вверх к узкой щели переулка, которая оказалась над ним. Затем кровяное солнце со звоном лопнуло у него в голове, и больше он ровно ничего не видал.

1924

Роковые яйца

Повесть

Глава I
КУРРИКУЛЮМ ВИТЭ ПРОФЕССОРА ПЕРСИКОВА

16 апреля 1928 года, вечером, профессор зоологии IV государственного университета и директор зооинститута в Москве Персиков вошел в свой кабинет, помещающийся в зооинституте, что на улице Герцена. Профессор зажег верхний матовый шар и огляделся.

Начало ужасающей катастрофы нужно считать заложенным именно в этот злосчастный вечер, равно как первопричиною этой катастрофы следует считать именно профессора Владимира Ипатьевича Персикова.

Ему было ровно пятьдесят восемь лет. Голова замечательная, толкачом, лысая, с пучками желтоватых волос, торчащими по бокам. Лицо гладко выбритое, нижняя губа выпячена вперед. От этого персиковское лицо вечно носило на себе несколько капризный отпечаток. На красном носу старомодные маленькие очки в серебряной оправе, глазки блестящие, небольшие, росту высокого, сутуловат. Говорил скрипучим, тонким, квакающим голосом и среди других странностей имел такую: когда говорил что-либо веско и уверенно, указательный палец правой руки превращал в крючок и щурил глазки. А так как он говорил всегда уверенно, ибо эрудиция в его области у него была совершенно феноменальная, то крючок очень часто появлялся перед глазами собеседников профессора Персикова. А вне своей области, то есть зоологии, эмбриологии, анатомии, ботаники и географии, профессор Персиков почти ничего не говорил.

Газет профессор Персиков не читал, в театр не ходил, а жена профессора сбежала от него с тенором оперы Зимина в 1913 году, оставив ему записку такого содержания:

«Невыносимую дрожь отвращения возбуждают во мне твои лягушки. Я всю жизнь буду несчастна из-за них».

Профессор больше не женился и детей не имел. Был очень вспыльчив, но отходчив, любил чай с морошкой, жил на Пречистенке, в квартире из пяти комнат, одну из которых занимала сухенькая старушка, экономка Марья Степановна, ходившая за профессором, как нянька.

В 1919 году у профессора отняли из пяти комнат три. Тогда он заявил Марье Степановне:

— Если они не прекратят эти безобразия, Марья Степановна, я уеду за границу.

Нет сомнения, что, если бы профессор осуществил этот план, ему очень легко удалось бы устроиться при кафедре зоологии в любом университете мира, ибо ученый он был совершенно первоклассный, а в той области, которая так или иначе касается земноводных, или голых гадов, и равных себе не имел за исключением профессоров Ульяма Веккля в Кембридже и Джиакомо Бартоломео Беккари в Риме. Читал профессор на четырех языках, кроме русского, а по-французски и немецки говорил, как по-русски. Намерения своего относительно заграницы Персиков не выполнил, и 20-й год вышел еще хуже 19-го. Произошли события, и притом одно за другим. Большую Никитскую переименовали в улицу Герцена. Затем часы, врезанные в стену дома на углу Герцена и Моховой, остановились на одиннадцати с четвертью. И наконец, в террариях зоологического института, не вынеся всех пертурбаций знаменитого года, издохли первоначально восемь великолепных экземпляров квакшей, затем пятнадцать обыкновенных жаб и, наконец, исключительнейший экземпляр жабы Суринамской.

Непосредственно вслед за жабами, опустошившими тот первый отряд голых гадов, который по справедливости назван классом гадов бесхвостых, переселился в лучший мир бессменный сторож института старик Влас, не входящий в класс голых гадов. Причина смерти его, впрочем, была та же, что и у бедных гадов, и ее Персиков определил сразу:

— Бескормица!

Ученый был совершенно прав: Власа нужно было кормить мукой, а жаб мучными червями, но поскольку пропала первая, постольку исчезли и вторые. Персиков оставшиеся двадцать экземпляров квакш попробовал перевести на питание тараканами, но и тараканы куда-то провалились, показав свое злостное отношение к военному коммунизму. Таким образом и последние экземпляры пришлось выкинуть в выгребные ямы на дворе института.

Действие смертей, и в особенности Суринамской жабы, на Персикова не поддается описанию. В смертях он целиком почему-то обвинил тогдашнего наркома просвещения.

Стоя в шапке и калошах в коридоре выстывающего института, Персиков говорил своему ассистенту Иванову, изящнейшему джентльмену с острой белокурой бородкой:

— Ведь за это же его, Петр Степанович, убить мало! Что же они делают? Ведь они ж погубят институт! А? Бесподобный самец, исключительный экземпляр Пипа американа, длиной в тринадцать сантиметров...

Дальше пошло хуже. По смерти Власа окна в институте промерзли насквозь, так что цветистый лед сидел на внутренней поверхности стекол. Издохли кролики, лисицы, волки, рыбы и все до единого ужи. Персиков стал молчать целыми днями, потом заболел воспалением легких, но не умер. Когда оправился, приходил два раза в неделю в институт и в круглом зале, где было всегда, почему-то не изменяясь, пять градусов мороза, независимо от того, сколько на улице, читал в калошах, в шапке с наушниками и в кашне, выдыхая белый пар, восьми слушателям цикл лекций на тему «Пресмыкающиеся жаркого пояса». Все остальное время Персиков лежал у себя на Пречистенке на диване, в комнате, до потолка набитой книгами, под пледом, кашлял и смотрел в пасть огненной печурки, которую золочеными стульями топила Марья Степановна, вспоминал Суринамскую жабу.

Но все на свете кончается. Кончился 20-й и 21-й год, а в 22-м началось какое-то обратное движение. Во-первых: на месте покойного Власа появился Панкрат, еще молодой, но подающий большие надежды зоологический сторож, институт стали топить понемногу. А летом Персиков при помощи Панкрата на Клязьме поймал четырнадцать штук вульгарных жаб. В террариях вновь закипела жизнь... В 23-м году Персиков уже читал восемь раз в неделю — три в институте и пять в университете, в 24-м году тринадцать раз в неделю и, кроме того, на рабфаках, а в 25-м, весной, прославился тем, что на экзаменах срезал семьдесят шесть человек студентов и всех на голых гадах.

— Как, вы не знаете, чем отличаются голые гады от пресмыкающихся? — спрашивал Персиков. — Это просто смешно, молодой человек. Тазовых почек нет у голых гадов. Они отсутствуют. Тэк-то-с. Стыдитесь. Вы, вероятно, марксист?

— Марксист, — угасая, отвечал зарезанный.

— Так вот, пожалуйста, осенью, — вежливо говорил Персиков и бодро кричал Панкрату: — Давай следующего!

Подобно тому, как амфибии оживают после долгой засухи при первом обильном дожде, ожил профессор Персиков в 1926 году, когда соединенная американо-русская компания выстроила, начав с угла Газетного переулка и Тверской, в центре Москвы, пятнадцать пятнадцатиэтажных домов, а на окраинах триста рабочих коттеджей, каждый на восемь квартир, раз и навсегда прикончив тот страшный и смешной жилищный кризис, который так терзал москвичей в годы 1919—1925.

Вообще это было замечательное лето в жизни Персикова, и порою он с тихим и довольным хихиканьем потирал руки, вспоминая, как он жался с Марьей Степановной в двух комнатах. Теперь профессор все пять получил обратно, расширился, расположил две с половиной тысячи книг, чучела, диаграммы, препараты, зажег на столе зеленую лампу в кабинете.

Институт тоже узнать было нельзя: его покрыли кремовою краской, провели по специальному водопроводу воду в комнату гадов, сменили все стекла на зеркальные, прислали пять новых микроскопов, стеклянные препарационные столы, шары по 2000 ламп с отраженным светом, рефлекторы, шкапы в музей.

Персиков ожил, и весь мир неожиданно узнал об этом, лишь только в декабре 1926 года вышла в свет брошюра:

«Еще к вопросу о размножении бляшконосных, или хитонов». 126 стр. Известия IV университета.

А в 1927-м, осенью, капитальный труд в 350 страниц, переведенный на шесть языков, в том числе японский:

«Эмбриология пип, чесночниц и лягушек». Цена 3 руб. Госиздат.

А летом 1928 года произошло то невероятное, ужасное...

Глава II
ЦВЕТНОЙ ЗАВИТОК

Итак, профессор зажег шар и огляделся. Зажег рефлектор на длинном экспериментальном столе, надел белый халат, позвенел какими-то инструментами на столе...

Многие из тридцати тысяч механических экипажей, бегавших в 28-м году по Москве, проскакивали по улице Герцена, шурша по гладким торцам, и через каждую минуту с гулом и скрежетом скатывался с Герцена к Моховой трамвай 16, 22, 48 или 53-го маршрута. Отблески разноцветных огней забрасывал в зеркальные стекла кабинета и далеко и высоко был виден рядом с темной и грузной шапкой Храма Христа туманный, бледный месячный серп.

Но ни он, ни гул весенней Москвы нисколько не занимали профессора Персикова. Он сидел на винтящемся трехногом табурете и побуревшими от табаку пальцами вертел кремальеру великолепного цейсовского микроскопа, в который был заложен обыкновенный неокрашенный препарат свежих амеб. В тот момент, когда Персиков менял увеличение с пяти на десять тысяч, дверь приоткрылась, показалась остренькая бородка, кожаный нагрудник, и ассистент позвал:

— Владимир Ипатьич, я установил брыжжейку, не хотите ли взглянуть?

Персиков живо сполз с табурета, бросив кремальеру на полдороге, и, медленно вертя в руках папиросу, прошел в кабинет ассистента. Там, на стеклянном столе, полузадушенная и обмершая от стра-

58

ха и боли лягушка была распята на пробковом штативе, а ее прозрачные слюдяные внутренности вытянуты из окровавленного живота в микроскоп.

— Очень хорошо, — сказал Персиков и припал глазом к окуляру микроскопа.

Очевидно, что-то очень интересное можно было рассмотреть в брыжжейке лягушки, где, как на ладони видные, по рекам сосудов бойко бежали живые кровяные шарики. Персиков забыл о своих амебах и в течение полутора часов по очереди с Ивановым припадал к стеклу микроскопа. При этом оба ученые перебрасывались оживленными, но непонятными простым смертным словами.

Наконец Персиков отвалился от микроскопа, заявив:

— Сворачивается кровь, ничего не поделаешь.

Лягушка тяжко шевельнула головой, и в ее потухающих глазах были явственны слова: «Сволочи вы, вот что...»

Разминая затекшие ноги, Персиков поднялся, вернулся в свой кабинет, зевнул, потер пальцами вечно воспаленные веки и, присев на табурет, заглянул в микроскоп, пальцы он наложил на кремальеру и уже собирался двинуть винт, но не двинул. Правым глазом видел Персиков мутноватый белый диск и в нем смутных бледных амеб, а посредине диска сидел цветной завиток, похожий на женский локон. Этот завиток и сам Персиков, и сотни его учеников видели очень много раз, и никто не интересовался им, да и незачем было. Цветной пучочек света лишь мешал наблюдению и показывал, что препарат не в фокусе. Поэтому его безжалостно стирали одним поворотом винта, освещая поле ровным белым светом. Длинные пальцы зоолога уже вплотную легли на нарезку винта и вдруг дрогнули и слезли. Причиной этого был правый глаз Персикова, он вдруг насторожился, изумился, налился даже тревогой. Не бездарная посредственность на го́ре республике сидела у микроскопа. Нет, сидел профессор Персиков! Вся жизнь, его помыслы сосредоточились в правом глазу. Минут пять в каменном молчании высшее существо наблюдало низшее, мучая и напрягая глаз над стоящим вне фокуса препаратом. Кругом все молчало. Панкрат заснул уже в своей комнате в вестибюле, и один только раз в отдалении музыкально и нежно прозвенели стекла в шкапах — это Иванов, уходя, запер свой кабинет. За ним простонала входная дверь. Потом уже послышался голос профессора. У кого он спросил — неизвестно.

— Что такое? Ничего не понимаю...

Запоздалый грузовик прошел по улице Герцена, колыхнув старые стены института. Плоская стеклянная чашечка с пинцетами звякнула на столе. Профессор побледнел и занес руки над микроскопом, так, словно мать над дитятей, которому угрожает опасность. Теперь не могло быть и речи о том, чтобы Персиков двинул винт, о нет, он боялся уже, чтобы какая-нибудь посторонняя сила не вытолкнула из поля зрения того, что он увидал.

Было полное белое утро с золотой полосой, перерезавшей кремовое крыльцо института, когда профессор покинул микроскоп и подошел на онемевших ногах к окну. Он дрожащими пальцами нажал кнопку, и черные глухие шторы закрыли утро, и в кабинете ожила мудрая ученая ночь. Желтый и вдохновенный Персиков растопырил ноги и заговорил, уставившись в паркет слезящимися глазами:

— Но как же это так? Ведь это же чудовищно!.. Это чудовищно, господа,— повторил он, обращаясь к жабам в террарии, но жабы спали и ничего ему не ответили.

Он помолчал, потом подошел к выключателю, поднял шторы, потушил все огни и заглянул в микроскоп. Лицо его стало напряженным, он сдвинул кустоватые желтые брови.

— Угу, угу, — пробурчал он, — пропал. Понимаю. По-о-нимаю, — протянул он, сумасшедше и вдохновенно глядя на погасший шар над головой, — это просто.

И он вновь опустил шипящие шторы и вновь зажег шар. Заглянул в микроскоп, радостно и как бы хищно осклабился.

— Я его поймаю, — торжественно и важно сказал он, поднимая палец кверху, — поймаю. Может быть, и от солнца.

Опять шторы взвились. Солнце теперь было налицо. Вот оно залило стены института и косяком легло на торцах Герцена. Профессор смотрел в окно, соображая, где будет солнце днем. Он то отходил, то приближался, легонько пританцовывая, и наконец животом лег на подоконник.

Приступил к важной и таинственной работе. Стеклянным колпаком накрыл микроскоп. На синеватом пламени горелки расплавил кусок сургуча и края колокола припечатал к столу, а на сургучных пятнах оттиснул свой большой палец. Газ потушил, вышел и дверь кабинета запер на английский замок.

Полусвет был в коридорах института. Профессор добрался до комнаты Панкрата и долго и безуспешно стучал в нее. Наконец за дверью послышалось урчанье как бы цепного пса, харканье и мычанье, и Панкрат в полосатых подштанниках, с завязками на щиколотках, предстал в светлом пятне. Глаза его дико уставились на ученого, он еще легонько подвывал со сна.

— Панкрат, — сказал профессор, глядя на него поверх очков, — извини, что я тебя разбудил. Вот что, друг, в мой кабинет завтра утром не ходить. Я там работу оставил, которую сдвигать нельзя. Понял?

— У-у-у, по-по-понял, — ответил Панкрат, ничего не поняв. Он пошатывался и рычал.

— Нет, слушай, ты проснись, Панкрат, — молвил зоолог и легонько потыкал Панкрата в ребра, отчего у того на лице получился испуг и некоторая тень осмысленности в глазах. — Кабинет я запер, — продолжал Персиков, — так убирать его не нужно до моего прихода. Понял?

— Слушаю-с, — прохрипел Панкрат.

— Ну вот и прекрасно, ложись спать.

Панкрат повернулся, исчез в двери и тотчас обрушился на постель, а профессор стал одеваться в вестибюле. Он надел серое летнее пальто и мягкую шляпу, затем, вспомнив про картину в микроскопе, уставился на свои калоши и несколько секунд глядел на них, словно видел их впервые. Затем левую надел и на левую хотел надеть правую, но та не полезла.

— Какая чудовищная случайность, что он меня отозвал, — сказал ученый, — иначе я его так бы и не заметил. Но что это сулит?.. Ведь это сулит черт знает что такое!.. — Профессор усмехнулся, прищурился на калоши и левую снял, а правую надел. — Боже мой! Ведь даже нельзя представить себе всех последствий... — Профессор с презрением ткнул левую калошу, которая раздражала его, не желая налезать на правую, и пошел к выходу в одной калоше. Тут же он потерял носовой платок и вышел, хлопнув тяжелою дверью. На крыльце он долго искал в карманах спичек, хлопая себя по бокам, не нашел и тронулся по улице с незажженной папиросой во рту.

Ни одного человека ученый не встретил до самого храма. Там профессор, задрав голову, приковался к золотому шлему. Солнце сладостно лизало его с одной стороны.

— Как же раньше я не видал его, какая случайность?.. Тьфу, дурак, — профессор наклонился и задумался, глядя на разно обутые ноги, — гм... как же быть? К Панкрату вернуться? Нет, его не разбудишь. Бросить ее, подлую, жалко. Придется в руках нести. — Он снял калошу и брезгливо понес ее.

На старе́ньком автомоби́ле с Пречи́стенки вы́еха-
ли тро́е. Дво́е пья́неньких и на коле́нях у них я́рко
раскра́шенная же́нщина в шелко́вых шарова́рах по
мо́де 28-го го́да.

— Эх, папа́ша! — кри́кнула она́ ни́зким сипова́тым
го́лосом.— Что ж ты другу́ю-то кало́шку пропи́л?

— Ви́дно, в «Альказа́ре» набра́лся старичо́к, — за-
вы́л ле́вый пья́ненький, пра́вый вы́сунулся из автомо-
би́ля и прокрича́л:

— Оте́ц, что, ночна́я на Волхо́нке откры́та? Мы
туда́!

Профе́ссор стро́го посмотре́л на них пове́рх оч-
ко́в, вы́ронил изо рта папиро́су и то́тчас забы́л об их
существова́нии. На Пречи́стенском бульва́ре рожда́-
лась со́лнечная про́резь, а шлем Христа́ на́чал пы-
ла́ть. Вы́шло со́лнце.

Глава III
ПЕРСИКОВ ПОЙМАЛ

Де́ло бы́ло вот в чем. Когда́ профе́ссор прибли-
зил свой гениа́льный глаз к окуля́ру, он впервы́е в
жи́зни обрати́л внима́ние на то, что в разноцве́тном
завитке́ осо́бенно я́рко и жи́рно выделя́лся оди́н луч.
Луч э́тот был я́рко-кра́сного цве́та и из завитка́ вы-
пада́л, как ма́ленькое остриё, ну, ска́жем, с иго́лку,
что ли.

Про́сто уж тако́е несча́стье, что на не́сколько се-
ку́нд луч э́тот прикова́л наме́танный глаз виртуо́за.

В нем, в луче́, профе́ссор разгляде́л то, что бы́ло в
ты́сячу раз значи́тельнее и важне́е самого́ луча́, не-
про́чного дити́, случа́йно роди́вшегося при движе́-
нии зе́ркала и объекти́ва микроско́па. Благодаря́ тому, что ассисте́нт отозва́л профе́ссора, аме́бы про-
лежа́ли полтора́ часа́ под де́йствием э́того луча́, и
получи́лось вот что: в то вре́мя, как в ди́ске вне луча́

зернистые амебы валялись вяло и беспомощно, в том месте, где пролегал красный заостренный меч, происходили странные явления. В красной полосочке кипела жизнь. Серенькие амебы, выпуская ложноножки, тянулись изо всех сил в красную полосу и в ней (словно волшебным образом) оживали. Какая-то сила вдохнула в них дух жизни. Они лезли стаей и боролись друг с другом за место в луче. В нем шло бешеное, другого слова не подобрать, размножение. Ломая и опрокидывая все законы, известные Персикову, как свои пять пальцев, они почковались на его глазах с молниеносной быстротой. Они разваливались на части в луче, и каждая из частей в течение двух секунд становилась новым и свежим организмом. Эти организмы в несколько мгновений достигали роста и зрелости лишь затем, чтобы в свою очередь тотчас же дать новое поколение. В красной полосе, а потом и во всем диске стало тесно и началась неизбежная борьба. Вновь рожденные яростно набрасывались друг на друга и рвали в клочья и глотали. Среди рожденных лежали трупы погибших в борьбе за существование. Побеждали лучшие и сильные. И эти лучшие были ужасны. Во-первых, они объемом приблизительно в два раза превышали обыкновенных амеб, а во-вторых, отличались какою-то особенной злобой и резвостью. Движения их были стремительны, их ложноножки гораздо длиннее нормальных, и работали они ими, без преувеличения, как спруты щупальцами.

Во второй вечер профессор, осунувшийся и побледневший, без пищи, взвинчивая себя лишь толстыми самокрутками, изучал новое поколение амеб, а в третий день он перешел к первоисточнику, то есть к красному лучу.

Газ тихонько шипел в горелке, опять по улице шаркало движение, и профессор, отравленный сотой папиросою, полузакрыв глаза, откинулся на спинку винтового кресла.

— Да, теперь все ясно. Их оживил луч. Это новый, не исследованный никем, никем не обнаруженный луч. Первое, что придется выяснить, это — получается ли он только от электричества или также и от солнца, — бормотал Персиков самому себе.

И в течение еще одной ночи это выяснилось. В три микроскопа Персиков поймал три луча, от солнца ничего не поймал и выразился так:

— Надо полагать, что в спектре солнца его нет... гм... ну, одним словом, надо полагать, что добыть его можно только от электрического света. — Он любовно поглядел на матовый шар вверху, вдохновенно подумал и пригласил к себе в кабинет Иванова. Он все ему рассказал и показал амеб.

Приват-доцент Иванов был поражен, совершенно раздавлен: как же такая простая вещь, как эта тоненькая стрела, не была замечена раньше, черт возьми! Да кем угодно, и хотя бы им, Ивановым. И действительно, это чудовищно! Вы только посмотрите...

— Вы посмотрите, Владимир Ипатьич, — говорил Иванов, в ужасе прилипая глазом к окуляру, — что делается?! Они растут на моих глазах... Гляньте, гляньте...

— Я их наблюдаю уже третий день, — вдохновенно ответил Персиков.

Затем произошел между двумя учеными разговор, смысл которого сводился к следующему: приват-доцент Иванов берется соорудить при помощи линз и зеркал камеру, в которой можно будет получить этот луч в увеличенном виде и вне микроскопа. Иванов надеется, даже совершенно уверен, что это чрезвычайно просто. Луч он получит, Владимир Ипатьич может в этом не сомневаться. Тут произошла маленькая заминка.

— Я, Петр Степанович, когда опубликую работу, напишу, что камеры сооружены вами, — вставил Персиков, чувствуя, что заминочку надо разрешить.

— О, это не важно... Впрочем, конечно...

И заминочка тотчас разрешилась. С этого времени луч поглотил и Иванова. В то время, как Персиков, худея и истощаясь, просиживал дни и половину ночей за микроскопом, Иванов возился в сверкающем от ламп физическом кабинете, комбинируя линзы и зеркала. Помогал ему механик.

Из Германии, после запроса через комиссариат просвещения, Персикову прислали три посылки, содержащие в себе зеркала, двояковыпуклые, двояковогнутые и даже какие-то выпукло-вогнутые шлифованные стекла. Кончилось все это тем, что Иванов соорудил камеру и в нее действительно уловил красный луч. И надо отдать справедливость, уловил мастерски: луч вышел жирный, сантиметра четыре в поперечнике, острый и сильный.

1 июня камеру установили в кабинете Персикова, и он жадно начал опыты с икрой лягушек, освещенной лучом. Опыты эти дали потрясающие результаты. В течение двух суток из икринок вылупились тысячи головастиков. Но этого мало, в течение одних суток головастики выросли необычайно в лягушек и до того злых и прожорливых, что половина их тут же была перелопана другой половиной. Зато оставшиеся в живых начали вне всяких сроков метать икру и в два дня уже без всякого луча вывели новое поколение и при этом совершенно бесчисленное. В кабинете ученого началось черт знает что: головастики расползлись из кабинета по всему институту, в террариях и просто на полу, во всех закоулках, завывали зычные хоры, как на болоте. Панкрат, и так боявшийся Персикова как огня, теперь испытывал по отношению к нему одно чувство: мертвенный ужас. Через неделю и сам ученый почувствовал, что он шалеет. Институт наполнился запахом эфира и цианистого кали, которым чуть-чуть не отравился Панкрат, не вовремя снявший маску. Разросшееся болотное поколение наконец удалось перебить ядами, кабинеты проветрить.

Иванову Персиков сказал так:

— Вы знаете, Петр Степанович, действие луча на дейтероплазму и вообще на яйцеклетку изумительно.

Иванов, холодный и сдержанный джентльмен, перебил профессора необычным тоном:

— Владимир Ипатьич, что же вы толкуете о мелких деталях, об дейтероплазме. Будем говорить прямо: вы открыли что-то неслыханное. — Видимо, с большой потугой, но все же Иванов выдавил из себя слова: — Профессор Персиков, вы открыли луч жизни!

Слабая краска показалась на бледных, небритых скулах Персикова.

— Ну-ну-ну, — пробормотал он.

— Вы, — продолжал Иванов, — вы приобретете такое имя... У меня кружится голова. Вы понимаете, — продолжал он страстно, — Владимир Ипатьич, герои Уэллса по сравнению с вами просто вздор... А я-то думал, что это сказки... Вы помните его «Пищу богов»?

— А, это роман, — ответил Персиков.

— Ну да, Господи, известный же!..

— Я забыл его, — ответил Персиков, — помню, читал, но забыл.

— Как же вы не помните, да вы гляньте, — Иванов за ножку поднял со стеклянного стола невероятных размеров мертвую лягушку с распухшим брюхом. На морде ее даже после смерти было злобное выражение. — Ведь это же чудовищно!

Глава IV
ПОПАДЬЯ ДРОЗДОВА

Бог знает почему, Иванов ли тут был виноват, или потому, что сенсационные известия передаются сами собой по воздуху, но только в гигантской кипящей Москве вдруг заговорили о луче и о профессоре Персикове. Правда, как-то вскользь и очень туманно. Известие о чудодейственном открытии прыгало, как подстреленная птица, в светящейся столице, то исчезая, то вновь взвиваясь, до половины июля, пока на 20-й странице газеты «Известия» под заголовком «Новости науки и техники» не появилась короткая заметка, трактующая о луче. Сказано было глухо, что известный профессор IV университета изобрел луч, невероятно повышающий жизнедеятельность низших организмов, и что луч этот нуждается в проверке. Фамилия, конечно, была переврана и напечатано: «Певсиков».

Иванов принес газету и показал Персикову заметку.

— «Певсиков», — проворчал Персиков, возясь с камерой в кабинете, — откуда эти свистуны все знают?

Увы, перевранная фамилия не спасла профессора от событий, и они начались на другой же день, сразу нарушив всю жизнь Персикова.

Панкрат, предварительно постучавшись, явился в кабинет и вручил Персикову великолепнейшую атласную визитную карточку.

— Он таmotko, — робко прибавил Панкрат.

На карточке было напечатано изящным шрифтом:

АЛЬФРЕД АРКАДЬЕВИЧ
БРОНСКИЙ
Сотрудник московских журналов —
«Красный Огонек», «Красный Перец»,
«Красный Журнал», «Красный Прожектор»
и газеты «Красная Вечерняя Москва».

— Гони его к чертовой матери, — монотонно сказал Персиков и смахнул карточку под стол.

Панкрат повернулся, вышел и через пять минут вернулся со страдальческим лицом и со вторым экземпляром той же карточки.

— Ты что же, смеешься? — проскрипел Персиков и стал страшен.

— Из гепею, они говорять,— бледнея, ответил Панкрат.

Персиков ухватился одной рукой за карточку, чуть не перервал ее пополам, а другой швырнул пинцет на стол. На карточке было приписано кудрявым почерком: «Очень прошу и извиняюсь, принять меня, многоуважаемый профессор, на три минуты по общественному делу печати и сотрудник сатирического журнала „Красный Ворон“, издания ГПУ».

— Позови-ка его сюда, — сказал Персиков и задохнулся.

Из-за спины Панкрата тотчас вынырнул молодой человек с гладко выбритым маслянистым лицом. Поражали вечно поднятые, словно у китайца, брови и под ними ни секунды не глядящие в глаза собеседнику агатовые глазки. Одет был молодой человек совершенно безукоризненно и модно. В узкий и длинный до колен пиджак, широчайшие штаны колоколом и неестественной ширины лакированные ботинки с носами, похожими на копыта. В руках молодой человек держал трость, шляпу с острым верхом и блокнот.

— Что вам надо? — спросил Персиков таким голосом, что Панкрат мгновенно ушел за дверь. — Ведь вам же сказали, что я занят?

Вместо ответа молодой человек поклонился профессору два раза на левый бок и на правый, а затем его глазки колесом прошлись по всему кабинету, и тотчас молодой человек поставил в блокноте знак.

— Я занят, — сказал профессор, с отвращением глядя в глазки гостя, но никакого эффекта не добился, так как глазки были неуловимы.

— Прошу тысячу раз извинения, глубокоуважаемый профессор, — заговорил молодой человек тонким голосом,— что я врываюсь к вам и отнимаю ваше драгоценное время, но известие о вашем мировом открытии, прогремевшее по всему миру, заставляет наш журнал просить у вас каких-либо объяснений.

— Какие такие объяснения по всему миру? — завыл Персиков визгливо и пожелтев. — Я не обязан вам давать объяснения и ничего такого... Я занят... страшно занят.

— Над чем же вы работаете? — сладко спросил молодой человек и поставил второй знак в блокноте.

— Да я... вы что? Хотите напечатать что-то?

— Да, — ответил молодой человек и вдруг застрочил в блокноте.

— Во-первых, я не намерен ничего опубликовывать, пока я не кончу работы... тем более в этих ваших газетах... Во-вторых, откуда вы все это знаете?.. — И Персиков вдруг почувствовал, что теряется.

— Верно ли известие, что вы изобрели луч новой жизни?

— Какой такой новой жизни? — остервенился профессор.— Что вы мелете чепуху! Луч, над которым я работаю, еще далеко не исследован, и вообще ничего еще не известно! Возможно, что он повышает жизнедеятельность протоплазмы...

— Во сколько раз? — торопливо спросил молодой человек.

Персиков окончательно потерялся... «Ну тип. Ведь это черт знает что такое!»

— Что за обывательские вопросы?.. Предположим, я скажу, ну, в тысячу раз!..

В глазках молодого человека мелькнула хищная радость.

— Получаются гигантские организмы?

— Да ничего подобного! Ну, правда, организмы, полученные мною, больше обыкновенных... Ну, имеют некоторые новые свойства... Но ведь тут же главное не величина, а невероятная скорость размножения, — сказал на свое горе Персиков и тут же ужаснулся. Молодой человек исписал целую страницу, перелистнул ее и застрочил дальше.

— Вы же не пишите! — уже сдаваясь и чувствуя, что он в руках молодого человека, в отчаянии просипел Персиков. — Что вы такое пишете?

— Правда ли, что в течение двух суток из икры можно получить два миллиона головастиков?

— Из какого количества икры? — вновь взбеленяясь, закричал Персиков. — Вы видели когда-нибудь икринку... ну, скажем, — квакши?

— Из полуфунта? — не смущаясь, спросил молодой человек.

Персиков побагровел.

— Кто же так меряет? Тьфу! Что вы такое говорите? Ну, конечно, если взять полфунта лягушачьей икры... тогда, пожалуй... черт, ну, около этого количества, а может быть, и гораздо больше!

Бриллианты загорелись в глазах молодого человека, и он в один взмах исчеркал еще одну страницу.

— Правда ли, что это вызовет мировой переворот в животноводстве?

— Что это за газетный вопрос, — завыл Персиков, — и вообще, я не даю вам разрешения писать чепуху. Я вижу по вашему лицу, что вы пишете какую-то мерзость!

— Вашу фотографическую карточку, профессор, убедительнейше прошу, — молвил молодой человек и захлопнул блокнот.

— Что? Мою карточку? Это в ваши журнальчики? Вместе с этой чертовщиной, которую вы там пишете. Нет, нет, нет... И я занят... попрошу вас!..

— Хотя бы старую. И мы вам ее вернем моментально.

— Панкрат! — закричал профессор в бешенстве.

— Честь имею кланяться, — сказал молодой человек и пропал.

Вместо Панкрата послышалось за дверью странное мерное скрипенье машины, кованое постукиванье в пол, и в кабинете появился необычайной толщины человек, одетый в блузу и штаны, сшитые из одеяльного драпа. Левая его, механическая, нога щелкала и громыхала, а в руках он держал портфель. Его бритое круглое лицо, налитое желтоватым студнем, являло приветливую улыбку. Он по-военному поклонился профессору и выпрямился, отчего его нога пружинно щелкнула. Персиков онемел.

— Господин профессор,— начал незнакомец приятным сиповатым голосом,— простите простого смертного, нарушившего ваше уединение.

— Вы репортер? — спросил Персиков.— Панкрат!!

— Никак нет, господин профессор,— ответил толстяк,— позвольте представиться — капитан дальнего плавания и сотрудник газеты «Вестник промышленности» при Совете Народных Комиссаров.

— Панкрат!! — истерически закричал Персиков, и тотчас в углу выкинул красный сигнал и мягко прозвенел телефон.— Панкрат! — повторил профессор.— Я слушаю...

— Ферцайен зи битте, херр профессор, — захрипел телефон по-немецки, — дас их штёре. Их бин митарбейтер дес «Берлинер Тагеблатс»...[1]

— Панкрат! — закричал в трубку профессор.— Бин моменталь зер бешефтигт унд кан зи десхальб етцт нихт емпфанген!..[2] Панкрат!!

А на парадном ходе института в это время начались звонки.

———

— Кошмарное убийство на Бронной улице!! — завывали неестественные сиплые голоса, вертясь в гу-

[1] Извините, пожалуйста, господин профессор, что я беспокою. Я сотрудник... (правильно: Verzeichen Sie, bitte, Herr Professor, daß ich störe. Ich bin Mitarbeiter des «Berliner Tagesblatts»).

[2] Я сейчас очень занят и потому не могу вас принять (правильно: Ich bin momental sehr beschäftigt und kann Sie deshalb jetzt nicht empfangen).

ще огней между колесами и вспышками фонарей на нагретой июньской мостовой. — Кошмарное появление болезни кур у вдовы попадьи Дроздовой с ее портретом!.. Кошмарное открытие луча жизни профессора Персикова!!

Персиков мотнулся так, что чуть не попал под автомобиль на Моховой, и яростно ухватился за газету.

— Три копейки, гражданин! — закричал мальчишка и, вжимаясь в толпу на тротуаре, вновь завыл: — «Красная вечерняя газета», открытие икс-луча!!

Ошеломленный Персиков развернул газету и прижался к фонарному столбу. На второй странице в левом углу в смазанной рамке глянул на него лысый, с безумными и незрячими глазами, с повисшею нижнею челюстью человек, плод художественного творчества Альфреда Бронского. «В. И. Персиков, открывший загадочный красный луч», — гласила подпись под рисунком. Ниже, под заголовком «Мировая загадка», начиналась статья словами:

«Садитесь, — приветливо сказал нам маститый ученый Персиков...»

Под статьей красовалась подпись: «Альфред Бронский (Алонзо)».

Зеленоватый свет взлетел над крышей университета, на небе выскочили огненные слова: «Говорящая газета», — и тотчас толпа запрудила Моховую.

«Садитесь!!! — завыл вдруг в рупоре на крыше неприятнейший тонкий голос, совершенно похожий на голос увеличенного в тысячу раз Альфреда Бронского, — приветливо сказал нам маститый ученый Персиков! — Я давно хотел познакомить московский пролетариат с результатами моего открытия...»

Тихое механическое скрипение послышалось за спиною Персикова, и кто-то потянул его за рукав. Обернувшись, он увидал желтое круглое лицо владельца механической ноги. Глаза у того были увлажнены слезами и губы вздрагивали.

— Меня, господин профессор, вы не пожелали познакомить с результатами вашего изумительного открытия, — сказал он печально и глубоко вздохнул. — Пропали мои полтора червячка.

Он тоскливо глядел на крышу университета, где в черной пасти бесновался невидимый Альфред. Персикову почему-то стало жаль толстяка.

— Я, — пробормотал он, с ненавистью ловя слова с неба, — никакого «садитесь» ему не говорил! Это просто наглец необыкновенного свойства! Вы меня простите, пожалуйста, но, право же, когда работаешь и врываются... Я не про вас, конечно, говорю...

— Может быть, вы мне, господин профессор, хотя описание вашей камеры дадите? — заискивающе и скорбно говорил механический человек. — Ведь вам теперь все равно...

— Из полуфунта икры в течение трех дней вылупляется такое количество головастиков, что их нет никакой возможности сосчитать, — ревел невидимка в рупоре.

— Ту-ту, — глухо кричали автомобили на Моховой.

— Го-го-го... Ишь ты, го-го-го, — шуршала толпа, задирая головы.

— Каков мерзавец? А? — дрожа от негодования, зашипел Персиков механическому человеку. — Как вам это нравится? Да я жаловаться на него буду!

— Возмутительно! — согласился толстяк.

Ослепительнейший фиолетовый луч ударил в глаза профессора, и все кругом вспыхнуло — фонарный столб, кусок торцовой мостовой, желтая стена, любопытные лица.

— Это вас, господин профессор, — восхищенно шепнул толстяк и повис на рукаве профессора, как гиря. В воздухе что-то застрекотало.

— А ну их всех к черту! — тоскливо вскричал Персиков, выдираясь с гирей из толпы. — Эй, таксомотор. На Пречистенку!

Облупленная старенькая машина, конструкции 24-го года, заклокотала у тротуара, и профессор полез в ландо, стараясь отцепиться от толстяка.

— Вы мне мешаете, — шипел он и закрывался кулаками от фиолетового света.

— Читали?! Чего оруть?.. Профессора Персикова с детишками зарезали на Малой Бронной!.. — кричали кругом в толпе.

— Никаких у меня детишек нету, сукины дети, — заорал Персиков и вдруг попал в фокус черного аппарата, застрелившего его в профиль с открытым ртом и яростными глазами.

— Крх... ту... крх... ту, — закричал таксомотор и врезался в гущу.

Толстяк уже сидел в ландо и грел бок профессору.

Глава V
КУРИНАЯ ИСТОРИЯ

В уездном заштатном городке, бывшем Троицке, а ныне Стекловске, Костромской губернии, Стекловского уезда, на крылечко домика на бывшей Соборной, а ныне Персональной улице вышла повязанная платочком женщина в сером платье с ситцевыми букетами и зарыдала. Женщина эта, вдова бывшего соборного протоиерея бывшего собора Дроздова рыдала так громко, что вскорости из домика через улицу в окошко высунулась бабья голова в пуховом платке и воскликнула:

— Что ты, Степановна, али еще?

— Семнадцатая! — разливаясь в рыданиях, ответила бывшая Дроздова.

— Ахти-х-ти-х, — заскулила и закачала головой баба в платке, — ведь это что ж такое? Прогневался Господь, истинное слово! Да неужто ж сдохла?

— Да ты глянь, глянь, Матрена, — бормотала попадья, всхлипывая громко и тяжко, — ты глянь, что с ей!

Хлопнула серенькая покосившаяся калитка, бабьи босые ноги прошлепали по пыльным горбам улицы, и мокрая от слез попадья повела Матрену на свой птичий двор.

Надо сказать, что вдова отца протоиерея Савватия Дроздова, скончавшегося в 26-м году от антирелигиозных огорчений, не опустила рук, а основала замечательнейшее куроводство. Лишь только вдовьины дела пошли в гору, вдову обложили таким налогом, что куроводство чуть-чуть не прекратилось, кабы не добрые люди. Они надоумили вдову подать местным властям заявление о том, что она, вдова, основывает трудовую куроводную артель. В состав артели вошла сама Дроздова, верная прислуга ее Матрешка и вдовьина глухая племянница. Налог со вдовы сняли, и куроводство ее процвело настолько, что к 28-му году у вдовы, на пыльном дворике, окаймленном куриными домишками, ходило до двухсот пятидесяти кур, в числе которых были даже кохинхинки. Вдовьины яйца каждое воскресенье появлялись на стекловском рынке, вдовьими яйцами торговали в Тамбове, а бывало, что они показывались и в стеклянных витринах магазина бывшего «Сыр и масло Чичкина» в Москве.

И вот семнадцатая по счету с утра брамапутра, любимая хохлатка, ходила по двору, и ее рвало. «Эр... рр... урл... урл... го-го-го», — выделывала хохлатка и закатывала грустные глаза на солнце так, как будто видела его в последний раз. Перед носом курицы на корточках плясал член артели Матрешка с чашкой воды.

— Хохлаточка, миленькая... цып-цып-цып... испей водицы, — умоляла Матрешка и гонялась за клювом хохлатки с чашкой, но хохлатка пить не желала... Она широко раскрывала клюв, задирала голову кверху. Затем ее начало рвать кровью.

— Господисусе! — вскричала гостья, хлопнув себя по бедрам. — Это что ж такое делается? Одна резаная кровь. Никогда не видала, с места не сойти, чтобы курица, как человек, маялась животом.

Это и были последние напутственные слова бедной хохлатке. Она вдруг кувырнулась на бок, беспомощно потыкала клювом в пыль и завела глаза. Потом повернулась на спину, обе ноги задрала кверху и осталась неподвижной. Басом заплакала Матрешка, расплескав чашку, и сама попадья — председатель артели, а гостья наклонилась к ее уху и зашептала:

— Степановна, землю буду есть, что кур твоих испортили. Где ж это видано! Ведь таких и курьих болезней нет! Это твоих кур кто-то заколдовал.

— Враги жизни моей! — воскликнула попадья к небу. — Что ж они со свету меня сжить хочут?

Словам ее ответил громкий петушиный крик, и затем из курятника выдрался как-то боком, точно беспокойный пьяница из пивного заведения, обдерганный поджарый петух. Он зверски выкатил на них глаз, потоптался на месте, крылья распростер, как орел, но никуда не улетел, а начал бег по двору, по кругу, как лошадь на корде. На третьем круге он остановился, и его стошнило, потом он стал харкать и хрипеть, наплевал вокруг себя кровавых пятен, перевернулся, и лапы его уставились к солнцу, как мачты. Женский вой огласил двор. И в куриных домиках ему ответило беспокойное клохтанье, хлопанье и возня.

— Ну, не порча? — победоносно спросила гостья. — Зови отца Сергия, пущай служит.

В шесть часов вечера, когда солнце сидело низко огненною рожею между рожами молодых подсолнухов, на дворе куроводства отец Сергий, настоятель соборного храма, закончив молебен, вылезал из епитрахили. Любопытные головы людей торчали над древненьким забором и в щелях его. Скорбная попадья, приложившаяся к кресту, густо смочила канареечный рваный рубль слезами и вручила его отцу Сергию, на что тот, вздыхая, заметил что-то насчет того, что вот, мол, Господь прогневался на нас. Вид при этом у отца Сергия был такой, что он прекрасно знает, почему именно прогневался Господь, но только не скажет.

Засим толпа с улицы разошлась, а так как куры ложатся рано, то никто и не знал, что у соседа попадьи Дроздовой в курятнике издохло сразу трое кур и петух. Их рвало так же, как и дроздовских кур, но только смерти произошли в запертом курятнике и тихо. Петух свалился с нашеста вниз головой и в такой позиции кончился. Что касается кур вдовы, то они прикончились тотчас после молебна, и к вечеру в курятниках было мертво и тихо, лежала грудами закоченевшая птица.

Наутро город встал, как громом пораженный, потому что история приняла размеры странные и чудовищные. На Персональной улице к полудню осталось в живых только три курицы, в крайнем домике, где снимал квартиру уездный финъинспектор, но и те издохли к часу дня. А к вечеру городок Стекловск гудел и кипел, как улей, и по нем катилось грозное слово «мор». Фамилия Дроздовой попала в местную газету «Красный боец» в статье под заголовком: «Неужели куриная чума?», а оттуда пронеслось в Москву.

Жизнь профессора Персикова приняла окраску странную, беспокойную и волнующую. Одним словом, работать в такой обстановке было просто невозможно. На другой день после того, как он развязался с Альфредом Бронским, ему пришлось выключить у себя в кабинете в институте телефон, снявши трубку, а вечером, проезжая в трамвае по Охотному ряду, профессор увидел самого себя на крыше огромного дома с черною надписью «Рабочая газета». Он, профессор, дробясь, и зеленея, и мигая, лез в ландо такси, а за ним, цепляясь за рукав, лез механический шар в одеяле. Профессор на крыше, на белом экране, закрывался кулаками от фиолетового луча. Засим выскочила огненная надпись: «Профессор Персиков, едучи в авто, дает объяснение нашему знаменитому репортеру капитану Степанову». И точно: мимо Храма Христа, по Волхонке, проскочил зыбкий автомобиль, и в нем барахтался профессор, и физиономия у него была, как у затравленного волка.

— Это какие-то черти, а не люди, — сквозь зубы пробормотал зоолог и проехал.

Того же числа вечером, вернувшись к себе на Пречистенку, зоолог получил от экономки Марьи Степановны семнадцать записок с номерами телефонов, кои звонили к нему во время его отсутствия, и словесное заявление Марьи Степановны, что она замучилась. Профессор хотел разодрать записки, но остановился, потому что против одного из номеров увидал приписку: «Народный комиссар здравоохранения».

— Что такое? — искренно недоумевал ученый чудак. — Что с ними такое сделалось?

В десять с четвертью того же вечера раздался звонок, и профессор вынужден был беседовать с неким ослепительным по убранству гражданином. Принял его профессор благодаря визитной карточке, на которой было изображено (без имени и фамилии): «Полномочный шеф торговых отделов иностранных представительств при Республике Советов».

— Черт бы его взял, — прорычал Персиков, бросил на зеленое сукно лупу и какие-то диаграммы и сказал Марье Степановне: — Позовите его сюда, в кабинет, этого самого уполномоченного. Чем могу служить? — спросил Персиков таким тоном, что шефа несколько передернуло. Персиков пересадил очки с переносицы на лоб, затем обратно и разглядел визитера. Тот весь светился лаком и драгоценными камнями, и в правом глазу у него сидел монокль. «Какая гнусная рожа», — почему-то подумал Персиков.

Начал гость издалека, именно — попросил разрешения закурить сигару, вследствие чего Персиков с большою неохотой пригласил его сесть. Далее гость произнес длинные извинения по поводу того, что он пришел поздно: «Но... господина профессора невозможно днем никак пойма... хи-хи... пардон... застать» (гость, смеясь, всхлипывал, как гиена).

— Да, я занят! — так коротко ответил Персиков, что судорога вторично прошла по гостю.

Тем не менее он позволил себе беспокоить знаменитого ученого... время — деньги, как говорится... сигара не мешает профессору?

— Мур-мур-мур, — ответил Персиков. Он позволил...

— Профессор ведь открыл луч жизни?

— Помилуйте, какой такой жизни?! Это выдумки газетчиков! — оживился Персиков.

— Ах, нет, хи-хи-хэ... — он прекрасно понимает ту скромность, которая составляет истинное украшение всех настоящих ученых... о чем же говорить... Сегодня есть телеграммы... В мировых городах, как-то Варшаве и Риге, уже все известно насчет луча. Имя профессора Персикова повторяет весь мир... Весь мир следит за работой профессора Персикова затаив дыхание... Но всем прекрасно известно, как тяжко положение ученых в Советской России. Антр ну суа ди[1]. Здесь никого нет посторонних?.. Увы, здесь не умеют ценить ученые труды, так вот он хотел бы переговорить с профессором... Одно иностранное государство предлагает профессору Персикову совершенно бескорыстно помощь в его лабораторных работах. Зачем здесь метать бисер, как говорится в Священном Писании. Государству известно, как тяжко профессору пришлось в 19-м и 20-м году во время этой хи-хи... революции. Ну, конечно, строгая тайна... профессор ознакомит государство с результата-

---

[1] Между нами (от *фр.* entre nous soit-dit).

ми работы, а оно за это финансирует профессора. Ведь он построил камеру, вот интересно было бы ознакомиться с чертежами этой камеры...

И тут гость вынул из внутреннего кармана пиджака белоснежную пачку бумажек...

Какой-нибудь пустяк, пять тысяч рублей, например, задатку, профессор может получить сию же минуту... и расписки не надо... профессор даже обидит полномочного торгового шефа, если заговорит о расписке.

— Вон!!! — вдруг гаркнул Персиков так страшно, что пианино в гостиной издало звук на тонких клавишах.

Гость исчез так, что дрожащий от ярости Персиков через минуту и сам уже сомневался, был ли он, или это галлюцинация.

— Его калоши?! — выл через минуту Персиков в передней.

— Они забыли, — отвечала дрожащая Марья Степановна.

— Выкинуть их вон!

— Куда же я их выкину. Они придут за ними.

— Сдать их в домовой комитет. Под расписку. Чтоб не было духу этих калош! В комитет! Пусть примут шпионские калоши!..

Марья Степановна, крестясь, забрала великолепные кожаные калоши и унесла их на черный ход. Там постояла за дверью, а потом калоши спрятала в кладовку.

— Сдали? — бушевал Персиков.

— Сдала.

— Расписку мне.

— Да, Владимир Ипатьич. Да неграмотный же председатель!..

— Сию. Секунду. Чтоб. Была. Расписка. Пусть за него какой-нибудь грамотный сукин сын распишется!

Марья Степановна только покрутила головой, ушла и вернулась через четверть часа с запиской:

«Получено в фонд от проф. Персикова 1 (одна) па кало. Колосов».

— А это что?

— Жетон-с.

Персиков жетон истоптал ногами, а расписку спрятал под пресс. Затем какая-то мысль омрачила его крутой лоб. Он бросился к телефону, вытрезвонил Панкрата в институте и спросил у него: «Все ли благополучно?» Панкрат нарычал что-то такое в трубку, из чего можно было понять, что, по его мнению, все благополучно. Но Персиков успокоился только на одну минуту. Хмурясь, он уцепился за телефон и наговорил в трубку такое:

— Дайте мне эту, как ее, Лубянку. Мерси... Кому тут из вас надо сказать... у меня тут какие-то подозрительные субъекты в калошах ходят, да... Профессор IV университета Персиков...

Трубка вдруг резко оборвала разговор. Персиков отошел, ворча сквозь зубы какие-то бранные слова.

— Чай будете пить, Владимир Ипатьич? — робко осведомилась Марья Степановна, заглянув в кабинет.

— Не буду я пить никакого чаю... мур-мур-мур, и черт их всех возьми... как взбесились все равно.

Ровно через десять минут профессор принимал у себя в кабинете новых гостей. Один из них, приятный, круглый и очень вежливый, был в скромном, защитном военном френче и рейтузах. На носу у него сидело, как хрустальная бабочка, пенсне. Вообще он напоминал ангела в лакированных сапогах. Второй, низенький, страшно мрачный, был в штатском, но штатское на нем сидело так, словно оно его стесняло. Третий гость повел себя особенно, он не вошел в кабинет профессора, а остался в полутемной передней. При этом освещенный и пронизанный струями табачного дыма кабинет был ему насквозь виден. На лице этого третьего, который был тоже в штатском, красовалось дымчатое пенсне.

Двое в кабинете совершенно замучили Персикова, рассматривая визитную карточку, расспрашивая о пяти тысячах и заставляя описывать наружность гостя.

— Да черт его знает, — бубнил Персиков, — ну, противная физиономия. Дегенерат.

— А глаз у него не стеклянный? — спросил маленький хрипло.

— А черт его знает. Нет, впрочем, не стеклянный, бегают глаза.

— Рубинштейн? — вопросительно и тихо отнесся ангел к штатскому маленькому. Но тот хмуро и отрицательно покачал головой.

— Рубинштейн не даст без расписки, ни в коем случае, — забурчал он, — это не Рубинштейнова работа. Тут кто-то покрупнее.

История о калошах вызвала взрыв живейшего интереса со стороны гостей. Ангел молвил в телефон домовой конторы только несколько слов: «Государственное политическое управление сию минуту вызывает секретаря домкома Колесова в квартиру профессора Персикова с калошами», — и Колесов тотчас, бледный, появился в кабинете, держа калоши в руках.

— Васенька! — негромко окликнул ангел того, который сидел в передней. Тот вяло поднялся и словно развинченный плелся в кабинет; дымчатые стекла совершенно поглотили его глаза.

— Ну? — спросил он лаконически и сонно.

— Калоши.

Дымные глаза скользнули по калошам, и при этом Персикову почудилось, что из-под стекол вбок, на одно мгновенье, сверкнули вовсе не сонные, а, наоборот, изумительно колючие глаза. Но они моментально угасли.

— Ну, Васенька?

Тот, кого называли Васенькой, ответил вялым голосом:

— Ну, что тут ну. Пеленжковского калоши.

Немедленно фонд лишился подарка профессора Персикова. Калоши исчезли в газетной бумаге. Крайне обрадовавшийся ангел во френче встал и начал жать руку профессору и даже произнес маленький спич, содержание которого сводилось к следующему: это делает честь профессору... профессор может быть спокоен... больше его никто не потревожит, ни в институте, ни дома... меры будут приняты, камеры его в совершеннейшей безопасности...

— А нельзя ли, чтобы вы репортеров расстреляли? — спросил Персиков, глядя поверх очков.

Этот вопрос развеселил чрезвычайно гостей. Не только хмурый маленький, но даже дымчатый улыбнулся в передней. Ангел, искрясь и сияя, объяснил, что это невозможно.

— А что это за каналья у меня была?

Тут все перестали улыбаться, и ангел ответил уклончиво, что это так, какой-нибудь мелкий аферист, не стоит обращать внимания... тем не менее он убедительно просит гражданина профессора держать в полной тайне происшествие сегодняшнего вечера. И гости ушли.

Персиков вернулся в кабинет, к диаграммам, но заниматься ему все-таки не пришлось. Телефон выбросил огненный кружочек, и женский голос предложил профессору, если он желает жениться на вдове интересной и пылкой, квартиру в семь комнат. Персиков завыл в трубку:

— Я вам советую лечиться у профессора Россолимо... — и получил второй звонок.

Тут Персиков немного обмяк, потому что лицо, достаточно известное, звонило из Кремля, долго и сочувственно расспрашивало Персикова о его работе и изъявило желание навестить лабораторию. Отойдя от телефона, Персиков вытер лоб и трубку снял. Тогда в верхней квартире загремели страшные трубы и полетели вопли Валькирий, — радиоприемник у директора суконного треста принял вагнеровский концерт в Большом театре. Персиков под вой и грохот, сыплющийся с потолка, заявил Марье Степановне, что он будет судиться с директором, что он сломает ему этот приемник, что он уедет из Москвы к чертовой матери, потому что, очевидно, задались целью его выжить вон. Он разбил лупу и лег спать в кабинете на диване и заснул под нежные переборы клавишей знаменитого пианиста, прилетевшие из Большого театра.

Сюрпризы продолжались и на следующий день. Приехав на трамвае к институту, Персиков застал на крыльце неизвестного ему гражданина в модном зеленом котелке. Тот внимательно оглядел Персикова, но не отнесся к нему ни с какими вопросами, и поэтому Персиков его стерпел. Но в передней института кроме растерянного Панкрата навстречу Персикову поднялся второй котелок и вежливо его приветствовал:

— Здравствуйте, гражданин профессор.

— Что вам надо? — страшно спросил Персиков, сдирая при помощи Панкрата с себя пальто. Но котелок быстро утихомирил Персикова, нежнейшим голосом нашептав, что профессор напрасно беспокоится. Он, котелок, именно затем здесь и находится, чтобы избавить профессора от всяких назойливых посетителей... что профессор может быть спокоен не только за двери кабинета, но даже и за окна. Засим неизвестный отвернул на мгновение борт пиджака и показал профессору какой-то значок.

— Гм... однако у вас здорово поставлено дело, — промычал Персиков и прибавил наивно: — А что вы здесь будете есть?

На это котелок усмехнулся и объяснил, что его будут сменять.

Три дня после этого прошли великолепно. Навещали профессора два раза из Кремля, да один раз были студенты, которых Персиков экзаменовал. Студенты порезались все до единого, и по их лицам было видно, что теперь уже Персиков возбуждает в них просто суеверный ужас.

— Поступайте в кондуктора! Вы не можете заниматься зоологией, — неслось из кабинета.

— Строг? — спрашивал котелок у Панкрата.

— У, не приведи Бог, — отвечал Панкрат, — ежели какой-нибудь и выдержит, выходит, голубчик, из кабинета и шатается. Семь потов с него сойдет. И сейчас в пивную.

За всеми этими делишками профессор не заметил трех суток, но на четвертые его вновь вернули к действительной жизни, и причиной этого был тонкий и визгливый голос с улицы.

— Владимир Ипатьич! — прокричал голос в открытое окно кабинета с улицы Герцена. Голосу повезло: Персиков слишком переутомился за последние дни. В этот момент он как раз отдыхал, вяло и расслабленно смотрел глазами в красных кольцах и курил в кресле. Он больше не мог. И поэтому даже с некоторым любопытством он выглянул в окно и увидал на тротуаре Альфреда Бронского. Профессор сразу узнал титулованного обладателя карточки по остроконечной шляпе и блокноту. Бронский нежно и почтительно поклонился окну.

— Ах, это вы? — спросил профессор. У него не хватило сил рассердиться, и даже любопытно показалось, что такое будет дальше? Прикрытый окном, он чувствовал себя в безопасности от Альфреда. Бессменный котелок на улице немедленно повернул ухо к Бронскому. Умильнейшая улыбка расцвела у того на лице.

— Пару минуточек, дорогой профессор, — заговорил Бронский, напрягая голос с тротуара, — я только один вопросик, и чисто зоологический. Позволите предложить?

— Предложите, — лаконически и иронически ответил Персиков и подумал: «Все-таки в этом мерзавце есть что-то американское».

— Что вы скажете за кур, дорогой профессор? — крикнул Бронский, сложив руки щитком.

Персиков изумился. Сел на подоконник, потом слез, нажал кнопку и закричал, тыча пальцем в окно:

— Панкрат, впусти этого с тротуара.

Когда Бронский появился в кабинете, Персиков настолько простер свою ласковость, что рявкнул ему:

— Садитесь!

И Бронский, восхищенно улыбаясь, сел на винтящийся табурет.

— Объясните мне, пожалуйста, — заговорил Персиков, — вы пишете там, в этих ваших газетах?

— Точно так, — почтительно ответил Альфред.

— И вот мне непонятно, как вы можете писать, если вы не умеете даже говорить по-русски. Что это за «пара минуточек» и «за кур»? Вы, вероятно, хотели спросить «насчет кур»?

Бронский жидко и почтительно рассмеялся:

— Валентин Петрович исправляет.

— Кто это такой Валентин Петрович?

— Заведующий литературной частью.

— Ну, ладно. Я, впрочем, не филолог. В сторону вашего Петровича. Что именно вам желательно знать насчет кур?

— Вообще все, что вы скажете, профессор.

Тут Бронский вооружился карандашом. Победные искры взметнулись в глазах Персикова.

— Вы напрасно обратились ко мне, я не специалист по пернатым. Вам лучше всего было бы обратиться к Емельяну Ивановичу Португалову, в I университете. Я лично знаю весьма мало...

Бронский восхищенно улыбнулся, давая понять, что он понял шутку дорогого профессора. «Шутка — мало!» — черкнул он в блокноте.

— Впрочем, если вам интересно, извольте. Куры, или гребенчатые... род птиц из отряда куриных. Из семейства фазановых... — заговорил Персиков громким голосом и глядя не на Бронского, а куда-то вдаль, где перед ним подразумевались тысячи человек... — из семейства фазановых... фазианидэ. Представляют собою птиц с мясисто-кожным гребнем и двумя лопастями под нижней челюстью... гм... хотя, впрочем, бывает и одна в середине подбородка... Ну, что ж еще. Крылья короткие и округленные... Хвост средней длины, несколько ступенчатый и даже, я бы сказал, крышеобразный, средние перья серпообразно изогнуты... Панкрат... принеси из модельного кабинета модель № 705, разрезной петух... впрочем, вам это не нужно?.. Панкрат, не приноси модели... Повторяю вам, я не специалист, идите к Португалову. Ну-с, мне лично известно шесть видов дикоживущих кур... гм... Португалов знает больше... в Индии и на Малайском архипелаге. Например, Банкивский петух, или Казинту, он водится в предгорьях Гималаев, по всей Индии, в Ассаме, в Бирме... Вилохвостый петух, или Галлус Вариус, на Ломбоке, Сумбаве и Флорес. А на острове Яве имеется замечательный петух Галлюс Энеус, на юго-востоке Индии могу вам рекомендовать очень красивого Зоннератова петуха... Я вам потом покажу рисунок. Что же касается Цейлона, то на нем мы встречаем петуха Стенли, больше он нигде не водится.

Бронский сидел, вытаращив глаза, и строчил.

— Еще что-нибудь вам сообщить?

— Я бы хотел что-нибудь узнать насчет куриных болезней, — тихонечко шепнул Альфред.

— Гм, не специалист я... вы Португалова спросите... А впрочем... Ну, ленточные глисты, сосальщики, чесоточный клещ, железница, птичий клещ, куриная вошь, или пухоед, блохи, куриная холера, крупозно-дифтерийное воспаление слизистых оболочек... Пневмономикоз, туберкулез, куриные парши... мало ли, что может быть... (искры прыгали в глазах Персикова)... отравление, например, бешеницей, опухоли, английская болезнь, желтуха, ревматизм, грибок Ахорион Шенляйни... очень интересная болезнь. При заболевании им на гребне образуются маленькие пятна, похожие на плесень...

Вронский вытер пот со лба цветным носовым платком.

— А какая же, по вашему мнению, профессор, причина теперешней катастрофы?

— Какой катастрофы?

— Как, разве вы не читали, профессор? — удивился Бронский и вытащил из портфеля измятый лист газеты «Известия».

— Я не читаю газет, — ответил Персиков и насупился.

— Но почему же, профессор? — нежно спросил Альфред.

— Потому что они чепуху какую-то пишут, — не задумываясь, ответил Персиков.

— Но как же, профессор? — мягко шепнул Бронский и развернул лист.

— Что такое? — спросил Персиков и даже поднялся с места.

Теперь искры запрыгали в глазах у Бронского. Он подчеркнул острым, лакированным пальцем невероятнейшей величины заголовок через всю страницу газеты: «Куриный мор в республике».

— Как? — спросил Персиков, сдвигая на лоб очки...

Глава VI
МОСКВА В ИЮНЕ 1928 ГОДА

Она светилась, огни танцевали, гасли и вспыхивали. На Театральной площади вертелись белые фонари автобусов, зеленые огни трамваев; над бывшим Мюр и Мерилизом, над десятым надстроенным на него этажом, прыгала электрическая разноцветная женщина, выбрасывая по буквам разноцветные слова: «рабочий кредит». В сквере против Большого театра, где бил ночью разноцветный фонтан, толклась и гудела толпа. А над Большим театром гигантский рупор завывал:

— Антикуриные прививки в Лефортовском ветеринарном институте дали блестящие результаты. Количество... куриных смертей за сегодняшнее число уменьшилось вдвое...

Затем рупор менял тембр, что-то рычало в нем, над театром вспыхивала и угасала зеленая струя, и рупор жаловался басом:

— Образована чрезвычайная комиссия по борьбе с куриной чумой в составе наркомздрава, наркомзема, заведующего животноводством товарища Птахи-Поросюка, профессоров Персикова и Португалова... и товарища Рабиновича!.. Новые попытки интервенции!.. — хохотал и плакал, как шакал, рупор. — В связи с куриною чумой!

Театральный проезд, Неглинный и Лубянка пылали белыми и фиолетовыми полосами, брызгали лучами, выли сигналами, клубились пылью. Толпы народа теснились у стен у больших листов объявлений, освещенных резкими красными рефлекторами:

«Под угрозою тягчайшей ответственности воспрещается населению употреблять в пищу куриное мясо и яйца. Частные торговцы при попытках продажи их на рынках подвергаются уголовной ответственности с конфискацией всего имущества. Все граждане, владеющие яйцами, должны в срочном порядке сдать их в районные отделения милиции».

На крыше «Рабочей газеты» на экране грудой до самого неба лежали куры, и зеленоватые пожарные, дробясь и искрясь, из шлангов поливали их керосином. Затем красные волны ходили по экрану, неживой дым распухал и мотался клочьями, полз струей, выскакивала огненная надпись: «Сожжение куриных трупов на Ходынке».

Слепыми дырами глядели среди бешено пылающих витрин магазинов, торгующих до трех часов ночи, с двумя перерывами на обед и ужин, заколоченные окна под вывесками: «Яичная торговля. За качество гарантия». Очень часто, тревожно завывая, обгоняя тяжелые автобусы, мимо милиционеров проносились шипящие машины с надписью: «Мосздравотдел. Скорая помощь».

— Обожрался еще кто-то гнилыми яйцами,— шуршали в толпе.

В Петровских линиях зелеными и оранжевыми фонарями сиял знаменитый на весь мир ресторан «Ампир», и в нем на столиках, у переносных телефонов, лежали картонные вывески, залитые пятнами ликеров: «По распоряжению — омлета нет. Получены свежие устрицы».

В Эрмитаже, где бусинками жалобно горели китайские фонарики в неживой, задушенной зелени, на убивающей глаза своим пронзительным светом эстраде куплетисты Шрамс и Карманчиков пели куплеты, сочиненные поэтами Ардо и Аргуевым.

> Ах, мама, что я буду делать
> Без яиц?? —

и грохотали ногами в чечетке.

Театр имени покойного Всеволода Мейерхольда, погибшего, как известно, в 1927 году, при постановке пушкинского «Бориса Годунова», когда обрушились трапеции с голыми боярами, выбросил движущуюся разных цветов электрическую вывеску, возвещавшую пьесу писателя Эрендорга «Курий дох» в постановке ученика Мейерхольда, заслуженного режиссера республики Кухтермана. Рядом, в «Аквариуме», переливаясь рекламными огнями и блестя полуобнаженным женским телом, в зелени эстрады, под гром аплодисментов, шло обозрение писателя Ленивцева «Курицыны дети». А по Тверской, с фонариками по бокам морд, шли вереницею цирковые ослики, несли на себе сияющие плакаты. «В театре Корша возобновляется „Шантэклер" Ростана».

Мальчишки-газетчики рычали и выли между колес моторов:

— Кошмарная находка в подземелье! Польша готовится к кошмарной войне!! Кошмарные опыты профессора Персикова!!

В цирке бывшего Никитина, на приятно пахнущей навозом коричневой жирной арене мертвенно бледный клоун Бом говорил распухшему в клетчатой водянке Биму:

— Я знаю, отчего ты такой печальный!

— Отциво? — пискляво спрашивал Бим.

— Ты зарыл яйца в землю, а милиция пятнадцатого участка их нашла.

— Га-га-га-га, — смеялся цирк так, что в жилах стыла радостно и тоскливо кровь и под стареньким куполом веяли трапеции и паутина.

— А-ап! — пронзительно кричали клоуны, и кормленая белая лошадь выносила на себе чудной красоты женщину, на стройных ногах, в малиновом трико.

———

Не глядя ни на кого, никого не замечая, не отвечая на подталкивания и тихие и нежные зазывания проституток, пробирался по Моховой вдохновенный и одинокий, увенчанный неожиданною славой Персиков к огненным часам у манежа. Здесь, не глядя кругом, поглощенный своими мыслями, он столкнулся со странным, старомодным человеком, пребольно ткнувшись пальцами прямо в деревянную кобуру револьвера, висящего у человека на поясе.

— Ах, черт! — пискнул Персиков. — Извините.

— Извиняюсь, — ответил встречный неприятным голосом, и кое-как они расцепились в людской каше.

И профессор, направляясь на Пречистенку, тотчас забыл о столкновении.

Глава VII
РОКК

Неизвестно, точно ли хороши были лефортовские ветеринарные прививки, умелы ли заградительные самарские отряды, удачны ли крутые меры, принятые по отношению к скупщикам яиц в Калуге и Воронеже, успешно ли работала чрезвычайная московская комиссия, но хорошо известно, что через две недели после последнего свидания Персикова с Альфредом в смысле кур в Союзе Республик было совершенно чисто. Кое-где в двориках уездных городков валялись куриные сиротливые перья, вызывая слезы на глазах, да в больницах поправлялись последние из жадных, доканчивая кровавый понос со рвотой. Людских смертей, к счастью, на всю республику было не более тысячи. Больших беспорядков тоже не последовало. Объявился было, правда, в Волоколамске пророк, возвестивший, что падеж кур вызван не кем иным, как комиссарами, но особенного успеха не имел. На волоколамском базаре побили нескольких милиционеров, отнимавших кур у баб, да выбили стекла в местном почтово-телеграфном отделении. По счастью, расторопные волоколамские власти приняли меры, в результате которых, во-первых, пророк прекратил свою деятельность, а во-вторых, стекла на телеграфе вставили.

Дойдя на севере до Архангельска и Сюмкина Выселка, мор остановился сам собой по той причине, что идти ему дальше было некуда, — в Белом море куры, как известно, не водятся. Остановился он и во Владивостоке, ибо далее был океан. На далеком юге — пропал и затих где-то в выжженных пространствах

93

Ордубата, Джульфы и Карабулака, а на западе удивительным образом задержался как раз на польской и румынской границах. Климат, что ли, там был иной, или сыграли роль заградительные кордонные меры, принятые соседними правительствами, но факт тот, что мор дальше не пошел. Заграничная пресса шумно, жадно обсуждала неслыханный в истории падеж, а правительство советских республик, не поднимая никакого шума, работало не покладая рук. Чрезвычайная комиссия по борьбе с куриной чумой переименовалась в чрезвычайную комиссию по поднятию и возрождению куроводства в республике, пополнившись новой чрезвычайной тройкой в составе шестнадцати товарищей. Был основан «Доброкур», почетными товарищами председателя в который вошли Персиков и Португалов. В газетах под их портретами появились заголовки: «Массовая закупка яиц за границей» и «Господин Юз хочет сорвать яичную кампанию». Прогремел на всю Москву ядовитый фельетон журналиста Колечкина, заканчивающийся словами: «Не зарьтесь, господин Юз, на наши яйца, — у вас есть свои!»

Профессор Персиков совершенно измучился и заработался в последние три недели. Куриные события выбили его из колеи и навалили на него двойную тяжесть. Целыми вечерами ему приходилось работать в заседании куриных комиссий и время от времени выносить длинные беседы то с Альфредом Бронским, то с механическим толстяком. Пришлось вместе с профессором Португаловым и приват-доцентом Ивановым и Борнгартом анатомировать и микроскопировать кур в поисках бациллы чумы, и даже в течение трех вечеров на скорую руку написать брошюру: «Об изменениях печени у кур при чуме».

Работал Персиков без особого жара в куриной области, да оно и понятно: вся его голова была полна другим — основным и важным — тем, от чего оторвала его куриная катастрофа, то есть красным лучом. Расстраивая свое и без того надломленное здоровье, урывая часы у сна и еды, порою не возвращаясь на Пречистенку, а засыпая на клеенчатом диване в кабинете института, Персиков ночи напролет возился у камеры и микроскопа.

К концу июля гонка несколько стихла. Дела переименованной комиссии вошли в нормальное русло, и Персиков вернулся к нарушенной работе. Микроскопы были заряжены новыми препаратами, в камере под лучом зрела со сказочной быстротою рыбья и лягушачья икра. Из Кенигсберга на аэроплане привезли специально заказанные стекла, и в последних числах июля, под наблюдением Иванова, механики соорудили две новых больших камеры, в которых луч достигал у основания ширины папиросной коробки, а в раструбе — целого метра. Персиков радостно потер руки и начал готовиться к каким-то таинственным и сложным опытам. Прежде всего он по телефону сговорился с народным комиссаром просвещения, и трубка наквакала ему самое любезное и всяческое содействие, а затем Персиков по телефону же вызвал товарища Птаху-Поросюка, заведующего отделом животноводства при верховной комиссии. Встретил Персиков со стороны Птахи самое теплое внимание. Дело шло о большом заказе за границей для профессора Персикова. Птаха сказал в телефон, что он тотчас телеграфирует в Берлин и Нью-Йорк. После этого из Кремля осведомились, как у Персикова идут дела, и важный и ласковый голос спросил, не нужен ли Персикову автомобиль?

— Нет, благодарю вас. Я предпочитаю ездить в трамвае, — ответил Персиков.

— Но почему же? — спросил таинственный голос и снисходительно усмехнулся.

С Персиковым все вообще разговаривали или с почтением и ужасом, или же ласково усмехаясь, как маленькому, хоть и крупному ребенку.

— Он быстрее ходит, — ответил Персиков, после чего звучный басок в телефон ответил:

— Ну, как хотите.

Прошла еще неделя, причем Персиков, все более отдаляясь от затихающих куриных вопросов, всецело погрузился в изучение луча. Голова его от бессонных ночей и переутомления стала светла, как бы прозрачна и легка. Красные кольца не сходили теперь с его глаз, и почти всякую ночь Персиков ночевал в институте. Один раз он покинул зоологическое прибежище, чтобы в громадном зале Цекубу на Пречистенке сделать доклад о своем луче и о действии его на яйцеклетку. Это был гигантский триумф зоолога-чудака. В колонном зале от всплеска рук что-то сыпалось и рушилось с потолков, и шипящие дуговые трубки заливали светом черные смокинги цекубистов и белые платья женщин. На эстраде, рядом с кафедрой, сидела на стеклянном столе, тяжко дыша и серея на блюде, влажная лягушка величиною с кошку. На эстраду бросали записки. В числе их было семь любовных, и их Персиков разорвал. Его силой вытаскивал на эстраду председатель Цекубу, чтобы кланяться. Персиков кланялся раздраженно, руки у него были потные, мокрые, и черный галстук сидел не под подбородком, а за левым ухом. Перед ним в дыхании и тумане были сотни желтых лиц и мужских белых грудей, и вдруг желтая кобура пистолета мелькнула и пропала где-то за белой колонной. Персиков ее смутно заметил и забыл. Но, уезжая после доклада, спускаясь по малиновому ковру лестницы, он вдруг почувствовал себя нехорошо. На миг заслонило черным яркую люстру в вестибюле, и Персикову стало смутно, тошновато... Ему почудилась гарь, показалось, что кровь течет у него липко и жарко по шее... И дрожащею рукой схватился профессор за перила.

— Вам нехорошо, Владимир Ипатьич? — набросились со всех сторон встревоженные голоса.

— Нет, нет, — ответил Персиков, оправляясь, — просто я переутомился... да... Позвольте мне стакан воды.

———

Был очень солнечный августовский день. Он мешал профессору, поэтому шторы были опущены. Один гибкий на ножке рефлектор бросал пучок острого света на стеклянный стол, заваленный инструментами и стеклами. Отвалив спинку винтящегося кресла, Персиков в изнеможении курил и сквозь полосы дыма смотрел мертвыми от усталости, но довольными глазами в приоткрытую дверь камеры, где, чуть-чуть подогревая и без того душный и нечистый воздух в кабинете, тихо лежал красный сноп луча.

В дверь постучали.

— Ну? — спросил Персиков.

Дверь мягко скрипнула, и вошел Панкрат. Он сложил руки по швам и, бледнея от страха перед божеством, сказал так:

— Там до вас, господин профессор, Рокк пришел.

Подобие улыбки показалось на щеках ученого. Он сузил глазки и молвил:

— Это интересно. Только я занят.

— Они говорять, что с казенной бумагой с Кремля.

— Рок с бумагой? Редкое сочетание, — вымолвил Персиков и добавил: — Ну-ка, дай-ка его сюда!

— Слушаю-с, — ответил Панкрат и, как уж, исчез за дверью.

Через минуту она скрипнула опять и появился на пороге человек. Персиков скрипнул на винте и уставился в пришедшего поверх очков через плечо. Персиков был слишком далек от жизни — он ею не интересовался, но тут даже Персикову бросилась в глаза основная и главная черта вошедшего человека. Он был странно старомоден. В 1919 году этот человек был бы совершенно уместен на улицах столицы, он был бы терпим в 1924 году, в начале его, но в

1928 году он был странен. В то время, как наиболее даже отставшая часть пролетариата — пекаря — ходили в пиджаках, когда в Москве редкостью был френч — старомодный костюм, оставленный окончательно в конце 1924 года, на вошедшем была кожаная двубортная куртка, зеленые штаны, на ногах обмотки и штиблеты, а на боку огромный, старой конструкции пистолет маузер в желтой битой кобуре. Лицо вошедшего произвело на Персикова то же впечатление, что и на всех, — крайне неприятное впечатление. Маленькие глазки смотрели на весь мир изумленно и в то же время уверенно, что-то развязное было в коротких ногах с плоскими ступнями. Лицо иссиня-бритое. Персиков сразу нахмурился. Он безжалостно похрипел винтом и, глядя на вошедшего уже не поверх очков, а сквозь них, молвил:

— Вы с бумагой? Где же она?

Вошедший, видимо, был ошеломлен тем, что он увидел. Вообще он был мало способен смущаться, но тут смутился. Судя по глазкам, его поразил прежде всего шкап в двенадцать полок, уходивший в потолок и битком набитый книгами. Затем, конечно, камеры, в которых, как в аду, мерцал малиновый, разбухший в стеклах луч. И сам Персиков в полутьме у острой иглы луча, выпадавшего из рефлектора, был достаточно странен и величественен в винтовом кресле. Пришелец вперил в него взгляд, в котором явственно прыгали искры почтения сквозь самоуверенность, никакой бумаги не подал, а сказал:

— Я Александр Семенович Рокк!

— Ну-с? Так что?

— Я назначен заведующим показательным совхозом «Красный луч», — пояснил пришлый.

— Ну-с?

— И вот к вам, товарищ, с секретным отношением.

— Интересно было бы узнать. Покороче, если можно.

Пришелец расстегнул борт куртки и вынул приказ, напечатанный на великолепной плотной бумаге. Его он протянул Персикову. А затем без приглашения сел на винтящийся табурет.

— Не толкните стол, — с ненавистью сказал Персиков.

Пришелец испуганно оглянулся на стол, на дальнем краю которого в сыром, темном отверстии мерцали безжизненно, как изумруды, чьи-то глаза. Холодом веяло от них.

Лишь только Персиков прочитал бумагу, он поднялся с табурета и бросился к телефону. Через несколько секунд он уже говорил торопливо и в крайней степени раздражения:

— Простите... Я не могу понять... Как же так? Я... без моего согласья, совета... Да ведь он черт знает что наделает!!

Тут незнакомец повернулся крайне обиженно на табурете.

— Извиняюсь, — начал он, — я завед...

Но Персиков махнул на него крючочком и продолжал:

— Извините, я не могу понять... Я, наконец, категорически протестую. Я не даю своей санкции на опыты с яйцами... Пока я сам не попробую их...

Что-то квакало и постукивало в трубке, и даже издали было понятно, что голос в трубке, снисходительный, говорит с малым ребенком. Кончилось тем, что багровый Персиков с громом повесил трубку и мимо нее в стену сказал:

— Я умываю руки.

Он вернулся к столу, взял с него бумагу, прочитал ее раз сверху вниз поверх очков, затем снизу вверх сквозь очки и вдруг взвыл:

— Панкрат!

Панкрат появился в дверях, как будто поднялся по трапу в опере. Персиков глянул на него и рявкнул:

— Выйди вон, Панкрат!

И Панкрат, не выразив на своем лице ни малейшего изумления, исчез.

Затем Персиков повернулся к пришельцу и заговорил:

— Извольте-с... Повинуюсь. Не мое дело. Да мне и неинтересно.

Пришельца профессор не столько обидел, сколько изумил.

— Извиняюсь, — начал он, — вы же, товарищ?..

— Что вы все «товарищ» да «товарищ»... — хмуро пробубнил Персиков и смолк.

«Однако», — написалось на лице у Рокка.

— Изви...

— Так вот-с, пожалуйста, — перебил Персиков. — Вот дуговой шар. От него вы получаете путем передвижения окуляра, — Персиков щелкнул крышкой камеры, похожей на фотографический аппарат, — пучок, который вы можете собрать путем передвижения объективов, вот № 1... и зеркало № 2, — Персиков погасил луч, опять зажег его на полу асбестовой камеры, — а на полу в луче можете разложить все, что вам нравится, и делать опыты. Чрезвычайно просто, не правда ли?

Персиков хотел выразить иронию и презрение, но пришелец их не заметил, внимательно блестящими глазками всматриваясь в камеру.

— Только предупреждаю, — продолжал Персиков, — руки не следует совать в луч, потому что, по моим наблюдениям, он вызывает разрастание эпителия... а злокачественны они или нет, я, к сожалению, еще не мог установить.

Тут пришелец проворно спрятал свои руки за спину, уронив кожаный картуз, и поглядел на руки профессора. Они были насквозь прожжены йодом, а правая у кисти забинтована.

— А как же вы, профессор?

— Можете купить резиновые перчатки у Швабе на Кузнецком, — раздраженно ответил профессор. — Я не обязан об этом заботиться.

Тут Персиков посмотрел на пришельца словно в лупу:

— Откуда вы взялись? Вообще... почему вы?..

Рокк наконец обиделся сильно.

— Извин...

— Ведь нужно же знать, в чем дело!.. Почему вы уцепились за этот луч?..

— Потому, что это величайшей важности дело...

— Ага. Величайшей? Тогда... Панкрат!

И когда Панкрат появился:

— Погоди, я подумаю.

И Панкрат покорно исчез.

— Я, — говорил Персиков, — не могу понять вот чего: почему нужна такая спешность и секрет?

— Вы, профессор, меня уже сбили с панталыку, — ответил Рокк, — вы же знаете, что куры все издохли до единой.

— Ну так что из этого? — завопил Персиков. — Что же вы хотите их воскресить моментально, что ли? И почему при помощи еще не изученного луча?

— Товарищ профессор, — ответил Рокк, — вы меня, честное слово, сбиваете. Я вам говорю, что нам необходимо возобновить у себя куроводство, потому что за границей пишут про нас всякие гадости. Да.

— И пусть себе пишут...

— Ну, знаете, — загадочно ответил Рокк и покрутил головой.

— Кому, желал бы я знать, пришла в голову мысль растить кур из яиц?..

— Мне, — ответил Рокк.

— Угу... Тэк-с... А почему, позвольте узнать? Откуда вы узнали о свойствах луча?

— Я, профессор, был на вашем докладе.

— Я с яйцами еще ничего не делал!.. Только собираюсь!

— Ей-Богу, выйдет, — убедительно вдруг и задушевно сказал Рокк, — ваш луч такой знаменитый, что хоть слонов можно вырастить, не только цыплят.

— Знаете что, — молвил Персиков, — вы не зоолог? нет? жаль... из вас вышел бы очень смелый экспериментатор... Да... только вы рискуете... получить неудачу... и только у меня отнимаете время...

— Мы вам вернем камеры. Что значит?..

— Когда?

— Да вот я выведу первую партию.

— Как вы это уверенно говорите! Хорошо-с. Панкрат!

— У меня есть с собой люди, — сказал Рокк, — и охрана...

К вечеру кабинет Персикова осиротел... Опустели столы. Люди Рокка увезли три больших камеры, оставив профессору только первую, его маленькую, с которой он начинал опыты.

Надвигались июльские сумерки, серость овладела институтом, потекла по коридорам. В кабинете слышались монотонные шаги — это Персиков, не зажигая огня, мерил большую комнату от окна к двери... Странное дело: в этот вечер необъяснимо тоскливое настроение овладело людьми, населяющими институт, и животными. Жабы почему-то подняли особенно тоскливый концерт и стрекотали зловеще и предостерегающе. Панкрату пришлось ловить в коридорах ужа, который ушел из своей камеры, и когда он его поймал, вид у ужа был такой, словно тот собрался куда глаза глядят, лишь бы только уйти.

В глубоких сумерках прозвучал звонок из кабинета Персикова. Панкрат появился на пороге. И увидал странную картину. Ученый стоял одиноко посреди кабинета и глядел на столы. Панкрат кашлянул и замер.

— Вот, Панкрат, — сказал Персиков и указал на опустевший стол.

Панкрат ужаснулся. Ему показалось, что глаза у профессора в сумерках заплаканы. Это было так необыкновенно, так страшно.

— Так точно, — плаксиво ответил Панкрат и подумал: «Лучше б ты уж наорал на меня!»

— Вот, — повторил Персиков, и губы у него дрогнули точно так же, как у ребенка, у которого отняли ни с того ни с сего любимую игрушку.

— Ты знаешь, дорогой Панкрат, — продолжал Персиков, отворачиваясь к окну, — жена-то моя, которая уехала пятнадцать лет назад, в оперетку она поступила, а теперь умерла, оказывается... Вот история, Панкрат, милый... Мне письмо прислали...

Жабы кричали жалобно, и сумерки одевали профессора, вот она... ночь. Москва... где-то какие-то белые шары за окнами загорались... Панкрат, растерявшись, тосковал, держал от страху руки по швам...

— Иди, Панкрат, — тяжело вымолвил профессор и махнул рукой, — ложись спать, миленький, голубчик, Панкрат.

И наступила ночь. Панкрат выбежал из кабинета почему-то на цыпочках, прибежал в свою каморку, разрыл тряпье в углу, вытащил из-под него початую бутылку русской горькой и разом выхлюпнул около чайного стакана. Закусил хлебом с солью, и глаза его несколько повеселели.

Поздним вечером, уже ближе к полуночи, Панкрат, сидя босиком на скамье в скупо освещенном вестибюле, говорил бессонному дежурному котелку, почесывая грудь под ситцевой рубахой:

— Лучше б убил, ей-Бо...

— Неужто плакал? — с любопытством спрашивал котелок.

— Ей... Бо... — уверял Панкрат.

— Великий ученый, — согласился котелок, — известно, лягушка жены не заменит.

— Никак, — согласился Панкрат.

Потом он подумал и добавил:

— Я свою бабу подумываю выписать сюды... чего ей в самом деле в деревне сидеть. Только она гадов этих не выносит нипочем...

— Что говорить, пакость ужаснейшая, — согласился котелок.

Из кабинета ученого не слышно было ни звука. Да и света в нем не было. Не было полоски под дверью.

Глава VIII
ИСТОРИЯ В СОВХОЗЕ

Положительно нет прекраснее времени, нежели зрелый август в Смоленской хотя бы губернии. Лето 1928 года было, как известно, отличнейшее, с дождями весной вовремя, с полным жарким солнцем, с отличным урожаем... Яблоки в бывшем имении Шереметевых зрели... леса зеленели, желтизной квадратов лежали поля... Человек-то лучше становится на лоне природы. И не так уже неприятен показался бы Александр Семенович, как в городе. И куртки противной на нем не было. Лицо его медно загорело, ситцевая расстегнутая рубашка показывала грудь, поросшую густейшим черным волосом, на ногах были парусиновые штаны. И глаза его успокоились и подобрели.

Александр Семенович оживленно сбежал с крыльца с колоннадой, на коей была прибита вывеска под звездой:

СОВХОЗ «КРАСНЫЙ ЛУЧ»

и прямо к автомобилю-полугрузовичку, привезшему три черных камеры под охраной.

Весь день Александр Семенович хлопотал со своими помощниками, устанавливая камеры в бывшем зимнем саду — оранжерее Шереметевых... К вечеру все было готово. Под стеклянным потолком загорелся белый, матовый шар, на кирпичах устанавливали камеры, и механик, приехавший с камерами, пощелкав и повертев блестящие винты, зажег на асбестовом полу в черных ящиках красный таинственный луч.

Александр Семенович хлопотал, сам влезал на лестницу, проверяя провода.

На следующий день вернулся со станции тот же полугрузовичок и выплюнул три ящика великолепной гладкой фанеры, кругом оклеенной ярлыками и белыми по черному фону надписями:

Vorsicht: Eier!!
Осторожно: яйца!!

— Что же так мало прислали? — удивился Александр Семенович, однако тотчас захлопотался и стал распаковывать яйца. Распаковывание происходило все в той же оранжерее, и принимали в нем участие: сам Александр Семенович, его необыкновенной толщины жена, Маня, кривой бывший садовник бывших Шереметевых, а ныне служащий в совхозе на универсальной должности сторожа, охранитель, обреченный на житье в совхозе, и уборщица Дуня. Это не Москва, и все здесь носило более простой, семейный и дружественный характер. Александр Семенович распоряжался, любовно посматривая на ящики, выглядевшие таким солидным компактным подарком под нежным закатным светом верхних стекол оранжереи. Охранитель, винтовка которого мирно дремала у дверей, клещами взламывал скрепы и металлические обшивки. Стоял треск... Сыпалась пыль. Александр Семенович, шлепая сандалиями, суетился возле ящиков.

— Вы потише, пожалуйста, — говорил он охранителю. — Осторожнее. Что ж вы не видите — яйца?..

— Ничего, — хрипел уездный воин, буравя, — сейчас...

Тр-р-р... и сыпалась пыль.

Яйца оказались упакованными превосходно: под деревянной крышкой был слой парафиновой бумаги, затем промокательной, затем следовал плотный слой стружек, затем опилки и в них замелькали белые головки яиц.

— Заграничной упаковочки, — любовно говорил Александр Семенович, роясь в опилках, — это вам не то, что у нас. Маня, осторожнее, ты их побьешь.

— Ты, Александр Семенович, сдурел, — отвечала жена, — какое золото, подумаешь. Что я, никогда яиц не видала? Ой!.. Какие большие!

— Заграница, — говорил Александр Семенович, выкладывая яйца на деревянный стол, — разве это наши мужицкие яйца... Все, вероятно, брамапутры, черт их возьми! Немецкие...

— Известное дело, — подтверждал охранитель, любуясь яйцами.

— Только не понимаю, чего они грязные, — говорил задумчиво Александр Семенович. — Маня, ты присматривай. Пускай дальше выгружают, а я иду на телефон.

И Александр Семенович отправился на телефон в контору совхоза через двор.

Вечером в кабинете зоологического института затрещал телефон. Профессор Персиков взъерошил волосы и подошел к аппарату.

— Ну? — спросил он.

— С вами сейчас будет говорить провинция, — тихо, с шипением отозвалась трубка женским голосом.

— Ну. Слушаю, — брезгливо спросил Персиков в черный рот телефона... В том что-то щелкало, а затем дальний мужской голос сказал в ухо встревоженно:

— Мыть ли яйца, профессор?

— Что такое? Что? Что вы спрашиваете? — раздражился Персиков. — Откуда говорят?

— Из Никольского, Смоленской губернии, — ответила трубка.

— Ничего не понимаю. Никакого Никольского не знаю. Кто это?

— Рокк, — сурово сказала трубка.

— Какой Рокк? Ах, да... это вы... так вы что спрашиваете?

— Мыть ли их?.. Прислали из-за границы мне партию курьих яиц...

— Ну?

— ...А они в грязюке в какой-то...

— Что-то вы путаете... Как они могут быть в «грязюке», как вы выражаетесь? Ну, конечно, может быть, немного... помет присох... или что-нибудь еще...

— Так не мыть?

— Конечно, не нужно... Вы что, хотите уже заряжать яйцами камеры?

— Заряжаю. Да, — ответила трубка.

— Гм, — хмыкнул Персиков.

— Пока, — цокнула трубка и стихла.

— «Пока», — с ненавистью повторил Персиков приват-доценту Иванову. — Как вам нравится этот тип, Петр Степанович?

Иванов рассмеялся.

— Это он? Воображаю, что он там напечет из этих яиц.

— Д... д... д... — заговорил Персиков злобно, — вы вообразите, Петр Степанович... ну, прекрасно... очень возможно, что на дейтероплазму куриного яйца луч окажет такое же действие, как и на плазму голых. Очень возможно, что куры у него вылупятся. Но ведь ни вы, ни я не можем сказать, какие это куры будут... может быть, они ни к черту не годные куры. Может быть, они подохнут через два дня. Может быть, их есть нельзя! А разве я поручусь, что они

107

будут стоять на ногах? Может быть, у них кости ломкие. — Персиков вошел в азарт и махал ладонью и загибал пальцы.

— Совершенно верно, — согласился Иванов.

— Вы можете поручиться, Петр Степанович, что они дадут поколение? Может быть, этот тип выведет стерильных кур. Догонит их до величины собаки, а потомства от них жди потом до второго пришествия.

— Нельзя поручиться, — согласился Иванов.

— И какая развязность, — расстраивал сам себя Персиков, — бойкость какая-то! И ведь заметьте, что этого прохвоста мне же поручено инструктировать. — Персиков указал на бумагу, доставленную Рокком (она валялась на экспериментальном столе)... — А как я его буду, этого невежду, инструктировать, когда я сам по этому вопросу ничего сказать не могу.

— А отказаться нельзя было? — спросил Иванов.

Персиков побагровел, взял бумагу и показал ее Иванову. Тот прочел ее и иронически усмехнулся.

— М-да... — сказал он многозначительно.

— И ведь заметьте... Я своего заказа жду два месяца, и о нем ни слуху ни духу. А этому моментально и яйца прислали, и вообще всяческое содействие...

— Ни черта у него не выйдет, Владимир Ипатьич. И просто кончится тем, что вернут вам камеры.

— Да если бы скорее, а то ведь они же мои опыты задерживают.

— Да, вот это скверно. У меня все готово.

— Вы скафандры получили?

— Да, сегодня.

Персиков несколько успокоился и оживился.

— Угу... я думаю, мы так сделаем. Двери операционной можно будет наглухо закрыть, а окно мы откроем...

— Конечно, — согласился Иванов.

— Три шлема?

— Три. Да.

— Ну вот-с... Вы, стало быть, я, и кого-нибудь из студентов можно назвать. Дадим ему третий шлем.

— Гринмута можно.

— Это который у вас сейчас над саламандрами работает?.. Гм... он ничего... хотя, позвольте, весной он не мог сказать, как устроен плавательный пузырь у голозубых, — злопамятно добавил Персиков.

— Нет, он ничего... Он хороший студент, — заступился Иванов.

— Придется уж не поспать одну ночь, — продолжал Персиков, — только вот что, Петр Степанович, вы проверьте газ, а то черт их знает, эти доброхимы ихние. Пришлют какой-нибудь гадости.

— Нет, нет, — и Иванов замахал руками, — вчера я уже пробовал. Нужно отдать им справедливость, Владимир Ипатьич, превосходный газ.

— Вы на ком пробовали?

— На обыкновенных жабах. Пустишь струйку — мгновенно умирают. Да, Владимир Ипатьич, мы еще так сделаем. Вы напишите отношение в Гепеу, чтобы вам прислали электрический револьвер.

— Да я не умею с ним обращаться...

— Я на себя беру, — ответил Иванов, — мы на Клязьме из него стреляли, шутки ради... там один гепеур рядом со мной жил... Замечательная штука. И просто чрезвычайно... Бьет бесшумно, шагов на сто и наповал. Мы в ворон стреляли... По-моему, даже и газа не нужно.

— Гм... это остроумная идея... Очень, — Персиков пошел в угол, взял трубку и квакнул...

— Дайте-ка мне эту, как ее... Лубянку...

———

Дни стояли жаркие до чрезвычайности. Над полями видно было ясно, как переливался прозрачный, жирный зной. А ночи чудные, обманчивые, зеленые. Луна светила и такую красоту навела на бывшее именье Шереметевых, что ее невозможно выразить. Дворецсовхоз, словно сахарный, светился, в парке тени дрожали, а пруды стали двухцветными пополам — косяком лунный столб, а половина бездонная тьма. В пятнах луны можно было свободно читать «Известия», за исключением шахматного отдела, набранного мелкой нонпарелью. Но в такие ночи никто «Известия», понятное дело, не читал... Дуня-уборщица оказалась в роще за совхозом, и там же оказался, вследствие совпадения, рыжеусый шофер потрепанного совхозного полугрузовичка. Что они там делали — неизвестно. Приютились они в непрочной тени вяза, прямо на разостланном кожаном пальто шофера. В кухне горела лампочка, там ужинали два огородника, а мадам Рокк в белом капоте сидела на колонной веранде и мечтала, глядя на красавицу луну.

В десять часов вечера, когда замолкли звуки в деревне Концовке, расположенной за совхозом, идиллический пейзаж огласился прелестными, нежными звуками флейты. Выразить немыслимо, до чего они были уместны над рощами и бывшими колоннами шереметевского дворца. Хрупкая Лиза из «Пиковой дамы» смешала в дуэте свой голос с голосом страстной Полины и унеслась в лунную высь, как видение старого и все-таки бесконечно милого, до слез очаровывающего режима.

Угасают... Угасают... —

свистала, переливая и вздыхая, флейта.

Замерли рощи, и Дуня, гибельная, как лесная русалка, слушала, приложив щеку к жесткой, рыжей и мужественной щеке шофера.

— А хорошо дудит, сукин сын, — сказал шофер, обнимая Дуню за талию мужественной рукой.

Играл на флейте сам заведующий совхозом Александр Семенович Рокк, и играл, нужно отдать ему справедливость, превосходно. Дело в том, что некогда флейта была специальностью Александра Семеновича. Вплоть до 1917 года он служил в известном концертном ансамбле маэстро Петухова, ежевечерне оглашающем стройными звуками фойе уютного кинематографа «Волшебные грезы» в городе Екатеринославе. Но великий 1917 год, переломивший карьеру многих людей, и Александра Семеновича повел по новым путям. Он покинул «Волшебные грезы» и пыльный звездный сатин в фойе и бросился в открытое море войны и революции, сменив флейту на губительный маузер. Его долго швыряло по волнам, неоднократно выплескивая то в Крыму, то в Москве, то в Туркестане, то даже во Владивостоке. Нужна была именно революция, чтобы вполне выявить Александра Семеновича. Выяснилось, что этот человек положительно велик и, конечно, не в фойе «Грез» ему сидеть. Не вдаваясь в долгие подробности, скажем, что последний 1927-й и начало 28-го года застали Александра Семеновича в Туркестане, где он, во-первых, редактировал огромную газету, а засим, как местный член высшей хозяйственной комиссии, прославился своими изумительными работами по орошению туркестанского края. В 1928 году Рокк прибыл в Москву и получил вполне заслуженный отдых. Высшая комиссия той организации, билет которой с честью носил в кармане провинциально-старомодный человек, оценила его и назначила ему должность спокойную и почетную. Увы! Увы! На горе республике кипучий мозг Александра Семеновича не потух, в Москве Рокк столкнулся с изобретением Персикова, и в номерах на Тверской «Красный Париж» родилась у Александра Семеновича идея, как при помощи луча Персикова возродить в течение месяца кур в республике. Рокка выслушали в комиссии животноводства, согласились с ним, и Рокк пришел с плотной бумагой к чудаку зоологу.

Концерт над стеклянными водами и рощами и парком уже шел к концу, как вдруг произошло нечто, которое прервало его раньше времени. Именно, в Концовке собаки, которым по времени уже следовало бы спать, подняли вдруг невыносимый лай, который постепенно перешел в общий мучительный вой. Вой, разрастаясь, полетел по полям, и вою вдруг ответил трескучий в миллион голосов концерт лягушек на прудах. Все это было так жутко, что показалось даже на мгновенье, будто померкла таинственная, колдовская ночь.

Александр Семенович оставил флейту и вышел на веранду.

— Маня. Ты слышишь? Вот проклятые собаки... Чего они, как ты думаешь, разбесились?

— Откуда я знаю? — ответила Маня, глядя на луну.

— Знаешь, Манечка, пойдем посмотрим на яички, — предложил Александр Семенович.

— Ей-Богу, Александр Семенович, ты совсем помешался со своими яйцами и курами. Отдохни ты немножко!

— Нет, Манечка, пойдем.

В оранжерее горел яркий шар. Пришла и Дуня с горящим лицом и блистающими глазами. Александр Семенович нежно открыл контрольные стекла, и все стали поглядывать внутрь камер. На белом асбестовом полу лежали правильными рядами испещренные пятнами ярко-красные яйца, в камерах было беззвучно... а шар вверху в 15 000 свечей тихо шипел...

— Эх, выведу я цыпляток! — с энтузиазмом говорил Александр Семенович, заглядывая то сбоку в контрольные прорезы, то сверху, через широкие вентиляционные отверстия. — Вот увидите... Что? Не выведу?

— А вы знаете, Александр Семенович, — сказала Дуня, улыбаясь, — мужики в Концовке говорили, что вы антихрист. Говорят, что ваши яйца дьявольские. Грех машиной выводить. Убить вас хотели.

Александр Семенович вздрогнул и повернулся к жене. Лицо его пожелтело.

— Ну, что вы скажете? Вот народ! Ну что вы сделаете с таким народом? А? Манечка, надо будет им собрание сделать... Завтра вызову из уезда работников. Я им сам скажу речь. Надо будет вообще тут поработать... А то это медвежий какой-то угол...

— Темнота,— молвил охранитель, расположившийся на своей шинели у двери оранжереи.

Следующий день ознаменовался страннейшими и необъяснимыми происшествиями. Утром, при первом же блеске солнца, рощи, которые приветствовали обычно светило неумолчным и мощным стрекотанием птиц, встретили его полным безмолвием. Это было замечено решительно всеми. Словно пред грозой. Но никакой грозы и в помине не было. Разговоры в совхозе приняли странный и двусмысленный для Александра Семеновича оттенок, и в особенности потому, что со слов дяди по прозвищу Козий Зоб, известного смутьяна и мудреца из Концовки, стало известно, что якобы все птицы собрались в косяки и на рассвете убрались куда-то из Шереметева вон, на север, что было просто глупо. Александр Семенович очень расстроился и целый день потратил на то, чтобы созвониться с городом Грачевкой. Оттуда обещали Александру Семеновичу прислать дня через два ораторов на две темы — международное положение и вопрос о «Доброкуре».

Вечер тоже был не без сюрпризов. Если утром умолкли рощи, показав вполне ясно, как подозрительно неприятна тишина среди деревьев, если в полдень убрались куда-то воробьи с совхозовского двора, то к вечеру умолк пруд в Шереметевке. Это было поистине изумительно, ибо всем в окрестностях на сорок верст было превосходно известно знаменитое стрекотание шереметевских лягушек. А теперь они словно вымерли. С пруда не доносилось ни одного голоса и беззвучно стояла осока. Нужно признаться, что Александр Семенович окончательно расстроился. Об этих происшествиях начали толковать, и толковать самым неприятным образом, то есть за спиной Александра Семеновича.

— Действительно, это странно, — сказал за обедом Александр Семенович жене, — я не могу понять, зачем этим птицам понадобилось улетать?

— Откуда я знаю? — ответила Маня. — Может быть, от твоего луча?

— Ну, ты, Маня, обыкновеннейшая дура, — ответил Александр Семенович, бросив ложку, — ты — как мужики. При чем здесь луч?

— А я не знаю. Оставь меня в покое.

Вечером произошел третий сюрприз — опять взвыли собаки в Концовке, и ведь как! Над лунными полями стоял непрерывный стон, злобные тоскливые стенания.

Вознаградил себя несколько Александр Семенович еще сюрпризом, но уже приятным, а именно в оранжерее. В камерах начал слышаться беспрерывный стук в красных яйцах. Токи... токи... токи... токи... стучало то в одном, то в другом, то в третьем яйце.

Стук в яйцах был триумфальным стуком для Александра Семеновича. Тотчас были забыты странные происшествия в роще и на пруде. Сошлись все в оранжерее: и Маня, и Дуня, и сторож, и охранитель, оставивший винтовку у двери.

— Ну, что? Что вы скажете? — победоносно спрашивал Александр Семенович. Все с любопытством наклоняли уши к дверцам первой камеры. — Это они клювами стучат, цыплятки, — продолжал, сияя, Александр Семенович. — Не выведу цыпляток, скажете? Нет, дорогие мои. — И от избытка чувств он похлопал охранителя по плечу. — Выведу таких, что вы ахнете. Теперь мне в оба смотреть, — строго добавил он. — Чуть только начнут вылупливаться, сейчас же мне дать знать.

— Хорошо, — хором ответили сторож, Дуня и охранитель.

Таки... таки... таки... закипало то в одном, то в другом яйце первой камеры. Действительно, картина на глазах нарождающейся новой жизни в тонкой отсвечивающей кожуре была настолько интересна, что все общество еще долго просидело на опрокинутых пустых ящиках, глядя, как в загадочном мерцающем свете созревали малиновые яйца. Разошлись спать довольно поздно, когда над совхозом и окрестностями разлилась зеленоватая ночь. Была она загадочна и даже, можно сказать, страшна, вероятно, потому, что нарушал ее полное молчание то и дело начинающийся беспричинный тоскливейший и ноющий вой собак в Концовке. Чего бесились проклятые псы — совершенно неизвестно.

Наутро Александра Семеновича ожидала неприятность. Охранитель был крайне сконфужен, руки прикладывал к сердцу, клялся и божился, что не спал, но ничего не заметил.

— Непонятное дело, — уверял охранитель, — я тут непричинен, товарищ Рокк.

— Спасибо вам, и от души благодарен, — распекал его Александр Семенович, — что вы, товарищ, думаете? Вас зачем приставили? Смотреть. Так вы мне и скажите, куда они делись? Ведь вылупились они? Значит, удрали. Значит, вы дверь оставили открытой да и ушли себе сами. Чтоб были мне цыплята!

— Некуда мне ходить. Что я, своего дела не знаю, — обиделся наконец воин, — что вы меня попрекаете даром, товарищ Рокк!

— Куды ж они подевались?

— Да я почем знаю, — взбесился наконец воин, — что я их, укараулю разве? Я зачем приставлен? Смотреть, чтобы камеры никто не упер, я и исполняю свою должность. Вот вам камеры. А ловить ваших цыплят я не обязан по закону. Кто его знает, какие у вас цыплята вылупятся, может, их на велосипеде не догонишь!

115

Александр Семенович несколько осекся, побурчал еще что-то и впал в состояние изумления. Дело-то на самом деле было странное. В первой камере, которую зарядили раньше всех, два яйца, помещающиеся у самого основания луча, оказались взломанными. И одно из них даже откатилось в сторону. Скорлупа валялась на асбестовом полу, в луче.

— Черт их знает, — бормотал Александр Семенович, — окна заперты, не через крышу же они улетели!

Он задрал голову и посмотрел туда, где в стеклянном переплете крыши было несколько широких дыр.

— Что вы, Александр Семенович, — крайне удивилась Дуня, — станут вам цыплята летать. Они тут где-нибудь... цып... цып... цып... — начала она кричать и заглядывать в углы оранжереи, где стояли пыльные цветочные вазоны, какие-то доски и хлам. Но никакие цыплята нигде не отзывались.

Весь состав служащих часа два бегал по двору совхоза, разыскивая проворных цыплят, и нигде ничего не нашел. День прошел крайне возбужденно. Караул камер был увеличен еще сторожем, и тому был дан строжайший приказ каждые четверть часа заглядывать в окна камер и, чуть что, звать Александра Семеновича. Охранитель сидел насупившись у дверей, держа винтовку между колен. Александр Семенович совершенно захлопотался и только во втором часу дня пообедал. После обеда он поспал часок в прохладной тени на бывшей оттоманке Шереметева, напился совхозовского сухарного кваса, сходил в оранжерею и убедился, что теперь там все в полном порядке. Старик сторож лежал животом на рогоже и, мигая, смотрел в контрольное стекло первой камеры. Охранитель бодрствовал, не уходя от дверей.

Но были и новости: яйца в третьей камере, заряженные позже всех, начали как-то причмокивать и цокать, как будто внутри их кто-то всхлипывал.

— Ух, зреют, — сказал Александр Семенович, — вот это зреют, теперь вижу. Видал? — отнесся он к сторожу...

— Да, дело замечательное, — ответил тот, качая головой и совершенно двусмысленным тоном.

Александр Семенович посидел немного у камер, но при нем никто не вылупился, он поднялся с корточек, размялся и заявил, что из усадьбы никуда не уходит, а только пройдет на пруд выкупаться, и чтобы его, в случае чего, немедленно вызвали. Он сбегал во дворец в спальню, где стояли две узких пружинных кровати со скомканным бельем и на полу была навалена груда зеленых яблоков и горы проса, приготовленного для будущих выводков, вооружился мохнатым полотенцем, а подумав, захватил с собой и флейту, с тем чтобы на досуге поиграть над водною гладью. Он бодро выбежал из дворца, пересек двор совхоза и по ивовой аллейке направился к пруду. Бодро шел Рокк, помахивая полотенцем и держа флейту под мышкой. Небо изливало зной сквозь ивы, и тело ныло и просилось в воду. На правой руке у Рокка началась заросль лопухов, в которую он, проходя, плюнул. И тотчас в глубине разлапистой путаницы послышалось шуршанье, как будто кто-то поволок бревно. Почувствовав мимолетное неприятное сосание в сердце, Александр Семенович повернул голову к заросли и посмотрел с удивлением. Пруд уже два дня не отзывался никакими звуками. Шуршание смолкло, поверх лопухов мелькнула привлекательно гладь пруда и серая крыша купаленки. Несколько стрекоз мотнулись перед Александром Семеновичем. Он уже хотел повернуть к деревянным мосткам, как вдруг шорох в зелени повторился и к нему присоединилось короткое сипение, как будто высочилось масло и пар из паровоза. Александр Семенович насторожился и стал всматриваться в глухую стену сорной заросли.

— Александр Семенович, — прозвучал в этот момент голос жены Рокка, и белая ее кофточка мелькнула, скрылась, но опять мелькнула в малиннике. — Подожди, я тоже пойду купаться.

Жена спешила к пруду, но Александр Семенович ничего ей не ответил, весь приковавшись к лопухам. Сероватое и оливковое бревно начало подниматься из их чащи, вырастая на глазах. Какие-то мокрые желтоватые пятна, как показалось Александру Семеновичу, усеивали бревно. Оно начало вытягиваться, изгибаясь и шевелясь, и вытянулось так высоко, что перегнало низенькую корявую иву... Затем верх бревна надломился, немного склонился, и над Александром Семеновичем оказалось что-то, напоминающее по высоте электрический московский столб. Но только это что-то было раза в три толще столба и гораздо красивее его, благодаря чешуйчатой татуировке. Ничего еще не понимая, но уже холодея, Александр Семенович глянул на верх ужасного столба, и сердце в нем на несколько секунд прекратило бой. Ему показалось, что мороз ударил внезапно в августовский день, а перед глазами стало так сумеречно, точно он глядел на солнце сквозь летние штаны.

На верхнем конце бревна оказалась голова. Она была сплющена, заострена и украшена желтым круглым пятном по оливковому фону. Лишенные век, открытые ледяные и узкие глаза сидели в крыше головы, и в глазах этих мерцала совершенно невиданная злоба. Голова сделала такое движение, словно клюнула воздух, весь столб вобрался в лопухи, и только одни глаза остались и, не мигая, смотрели на Александра Семеновича. Тот, покрытый липким потом, произнес четыре слова, совершенно невероятных и вызванных сводящим с ума страхом. Настолько уж хорошибыли эти глаза между листьями.

— Что это за шутки...

Затем ему вспомнилось, что факиры... да... да... Индия... плетеная корзинка и картинка... Заклинают.

Голова вновь взвилась, и стало выходить и туловище. Александр Семенович поднес флейту к губам, хрипло пискнул и заиграл, ежесекундно задыхаясь, вальс из «Евгения Онегина». Глаза в зелени тотчас же загорелись непримиримою ненавистью к этой опере.

— Что ты, одурел, что играешь на жаре? — послышался веселый голос Мани, и где-то краем глаза справа уловил Александр Семенович белое пятно.

Затем истошный визг пронизал весь совхоз, разросся и взлетел, а вальс запрыгал, как с перебитой ногой. Голова из зелени рванулась вперед, глаза ее покинули Александра Семеновича, отпустив его душу на покаяние. Змея приблизительно в пятнадцать аршин и толщиной в человека, как пружина, выскочила из лопухов. Туча пыли брызнула с дороги, и вальс кончился. Змея махнула мимо заведующего совхозом прямо туда, где была белая кофточка на дороге. Рокк видел совершенно отчетливо: Маня стала желто-белой и ее длинные волосы, как проволочные, поднялись на пол-аршина над головой. Змея на глазах Рокка, раскрыв на мгновение пасть, из которой вынырнуло что-то похожее на вилку, ухватила зубами Маню, оседающую в пыль, за плечо, так что вздернула ее на аршин над землей. Тогда Маня повторила режущий предсмертный крик. Змея извернулась пятисаженным винтом, хвост ее взмел смерч, и стала Маню давить. Та больше не издала ни одного звука, и только Рокк слышал, как лопались ее кости. Высоко над землей взметнулась голова Мани, нежно прижавшись к змеиной щеке. Изо рта у Мани плеснуло кровью, выскочила сломанная рука, и из-под ногтей брызнули фонтанчики крови. Затем змея, вывихнув челюсти, раскрыла пасть и разом надела свою голову на голову Мани и стала налезать на нее, как перчатка на палец. От змеи во все стороны било

119

такое жаркое дыхание, что оно коснулось лица Рокка, а хвост чуть не смел его с дороги в едкой пыли. Вот тут-то Рокк и поседел. Сначала левая и потом правая половина его черной, как сапог, головы покрылась серебром. В смертной тошноте он оторвался наконец от дороги и, ничего и никого не видя, оглашая окрестности диким ревом, бросился бежать...

Глава IX
ЖИВАЯ КАША

Агент Государственного политического управления на станции Дугино Щукин был очень храбрым человеком. Он задумчиво сказал своему товарищу, рыжему Полайтису:

— Ну, что ж, поедем. А? Давай мотоцикл. — Потом помолчал и добавил, обращаясь к человеку, сидящему на лавке: — Флейту-то положите.

Но седой трясущийся человек на лавке, в помещении Дугинского ГПУ, флейты не положил, а заплакал и замычал. Тогда Щукин и Полайтис поняли, что флейту нужно вынуть. Пальцы присохли к ней. Щукин, отличавшийся огромной, почти цирковой силой, стал палец за пальцем отгибать и отогнул все. Тогда флейту положили на стол.

Это было ранним солнечным утром следующего за смертью Мани дня.

— Вы поедете с нами, — сказал Щукин, обращаясь к Александру Семеновичу, — покажете нам, где и что. — Но Рокк в ужасе отстранился от него и руками закрылся, как от страшного видения.

— Нужно показать, — добавил сурово Полайтис.

— Нет, оставь его. Видишь, человек не в себе.

— Отправьте меня в Москву, — плача, попросил Александр Семенович.

— Вы разве совсем не вернетесь в совхоз?

Но Рокк вместо ответа опять заслонился руками, и ужас потек из его глаз.

— Ну, ладно, — решил Щукин, — вы действительно не в силах... Я вижу. Сейчас курьерский пойдет, с ним и поезжайте.

Затем у Щукина с Полайтисом, пока сторож станционный отпаивал Александра Семеновича водой и тот лязгал зубами по синей выщербленной кружке, произошло совещание. Полайтис полагал, что вообще ничего этого не было, а просто-напросто Рокк душевнобольной и у него была страшная галлюцинация. Щукин же склонялся к мысли, что из города Грачевки, где в настоящий момент гастролировал цирк, убежал удав-констриктор. Услышав их сомневающийся шепот, Рокк привстал. Он несколько пришел в себя и сказал, простирая руки, как библейский пророк:

— Слушайте меня. Слушайте. Что же вы не верите? Она была. Где же моя жена?

Щукин стал молчалив и серьезен и немедленно дал в Грачевку какую-то телеграмму. Третий агент, по распоряжению Щукина, стал неотступно находиться при Александре Семеновиче и должен был сопровождать его в Москву. Щукин же с Полайтисом стали готовиться к экспедиции. У них был всего один электрический револьвер, но и это уже была хорошенькая защита. Пятидесятизарядная модель 27-го года, гордость французской техники для близкого боя, била всего на сто шагов, но давала поле два метра в диаметре и в этом поле все живое убивала наповал. Промахнуться было очень трудно. Щукин надел блестящую электрическую игрушку, а Полайтис обыкновенный двадцатипятизарядный поясной пулеметик, взял обоймы, и на одном мотоцикле, по утренней росе и холодку, они по шоссе покатились к совхозу. Мотоцикл простучал двадцать верст, отделявших станцию от совхоза, в четверть часа (Рокк шел всю ночь, то и дело прячась в припадках смертного страха в придорожную траву), и когда солнце начало значительно припекать, на пригорке, под которым вилась речка Топь, глянул сахарный с колоннами дворец в зелени. Мертвая тишина стояла вокруг. У самого подъезда к совхозу агенты обогнали крестьянина на подводе. Тот плелся не спеша, нагруженный какими-то мешками, и вскоре остался позади. Мотоциклетка пробежала по мосту, и Полайтис затрубил в рожок, чтобы вызвать кого-нибудь. Но никто и нигде не отозвался, за исключением отдаленных остервенившихся собак в Концовке. Мотоцикл, замедляя ход, подошел к воротам с позеленевшими львами. Запыленные агенты в желтых гетрах соскочили, прицепили цепью с замком к переплету решетки машину и вошли во двор. Тишина их поразила.

— Эй, кто тут есть! — окликнул Щукин громко.

Но никто не отозвался на его бас. Агенты обошли двор кругом, все более удивляясь. Полайтис нахмурился. Щукин стал посматривать серьезно, все более хмуря светлые брови. Заглянули через закрытое окно в кухню и увидали, что там никого нет, но весь пол усеян белыми осколками посуды.

— Ты знаешь, что-то действительно у них случилось. Я теперь вижу. Катастрофа, — молвил Полайтис.

— Эй, кто там есть! Эй! — кричал Щукин, но ему отвечало только эхо под сводами кухни.

— Черт их знает! — ворчал Щукин. — Ведь не могла же она слопать их всех сразу. Или разбежались. Идем в дом.

Дверь во дворце с колонной верандой была открыта настежь, и в нем было совершенно пусто. Агенты прошли даже в мезонин, стучали и открывали все двери, но ничего решительно не добились и через вымершее крыльцо вновь вышли во двор.

— Обойдем кругом. К оранжереям, — распорядился Щукин, — все обшарим, а там можно будет протелефонировать.

По кирпичной дорожке агенты пошли, минуя клумбы, на задний двор, пересекли его и увидали блещущие стекла оранжереи.

— Погоди-ка, — заметил шепотом Щукин и отстегнул с пояса револьвер. Полайтис насторожился и снял пулеметик. Странный и очень зычный звук тянулся в оранжерее и где-то за нею. Похоже было, что где-то шипит паровоз. Зау-зау... зау-зау... с-с-с-с-с... — шипела оранжерея.

— А ну-ка, осторожно, — шепнул Щукин, и, стараясь не стучать каблуками, агенты придвинулись к самым стеклам и заглянули в оранжерею.

Тотчас Полайтис откинулся назад, и лицо его стало бледно. Щукин открыл рот и застыл с револьвером в руке.

Вся оранжерея жила, как червивая каша. Свиваясь и развиваясь в клубки, шипя и разворачиваясь, шаря и качая головами, по полу оранжереи ползли огромные змеи. Битая скорлупа валялась на полу и хрустела под их телами. Вверху бледно горел огромной силы электрический шар, и от этого вся внутренность оранжереи освещалась странным кинематографическим светом. На полу торчали три темных, словно фотографических, огромных ящика, два из них, сдвинутые и покосившиеся, потухли, а в третьем горело небольшое густо-малиновое световое пятно. Змеи всех размеров ползли по проводам, поднимались по переплетам рам, вылезали через отверстия в крыше. На самом электрическом шаре висела совершенно черная, пятнистая змея в несколько аршин, и голова ее качалась у шара, как маятник. Какие-то погремушки звякали в шипении, из оранжереи тянуло странным гнилостным, словно прудовым запахом. И еще смутно разглядели агенты кучи белых яиц, валяющиеся в пыльных углах, и странную гигантскую голенастую птицу, лежащую неподвижно у камер, и труп человека в сером у двери, рядом с винтовкой.

— Назад, — крикнул Щукин и стал пятиться, левой рукою отдавливая Полайтиса и поднимая правою револьвер. Он успел выстрелить раз девять, прошипев и выбросив около оранжереи зеленоватую молнию. Звук страшно усилился, и в ответ на стрельбу Щукина вся оранжерея пришла в бешеное движение, и плоские головы замелькали во всех дырах. Гром тотчас же начал скакать по всему совхозу и играть отблесками на стенах. Чах-чах-чах-тах, — стрелял Полайтис, отступая задом. Странный четырехлапый шорох послышался за спиной, и Полайтис вдруг страшно крикнул, падая навзничь. Существо на вывернутых лапах, коричнево-зеленого цвета, с громадной острой мордой, с гребенчатым хвостом, похожее на страшных размеров ящерицу, выкатилось из-за угла сарая и, яростно перекусив ногу Полайтису, сбило его на землю.

— Помоги, — крикнул Полайтис, и тотчас левая рука его попала в пасть и хрустнула, правой рукой он, тщетно пытаясь поднять ее, повез револьвером по земле. Щукин обернулся и заметался. Раз он успел выстрелить, но сильно взял в сторону, потому что боялся убить товарища. Второй раз он выстрелил по направлению оранжереи, потому что оттуда среди небольших змеиных морд высунулась одна огромная, оливковая, и туловище выскочило прямо по направлению к нему. Этим выстрелом он гигантскую змею убил и опять, прыгая и вертясь возле Полайтиса, полумертвого уже в пасти крокодила, выбирал место, куда бы выстрелить, чтобы убить страшного гада, не тронув агента. Наконец это ему удалось. Из электроревольвера хлопнуло два раза, осветив вокруг все зеленоватым светом, и крокодил, прыгнув, вытянулся, окоченел, и выпустил Полайтиса. Кровь у того текла из рукава, текла изо рта, и он, припадая на правую здоровую руку, тянул переломленную левую ногу. Глаза его угасали.

— Щукин... беги, — промычал он, всхлипывая.

Щукин выстрелил несколько раз по направлению оранжереи, и в ней вылетело несколько стекол. Но огромная пружина, оливковая и гибкая, сзади, выскочив из подвального окна, перескользнула двор, заняв его весь пятисаженным телом, и во мгновение обвила ноги Щукина. Его швырнуло вниз на землю, и блестящий револьвер отпрыгнул в сторону. Щукин крикнул мощно, потом задохся, потом кольца скрыли его совершенно, кроме головы. Кольцо прошло раз по голове, сдирая с нее скальп, и голова эта треснула. Больше в совхозе не послышалось ни одного выстрела. Все погасил шипящий, покрывающий звук. И в ответ ему очень далеко по ветру донесся из Концовки вой, но теперь уже нельзя было разобрать, чей это вой, собачий или человечий.

Глава X
КАТАСТРОФА

В ночной редакции газеты «Известия» ярко горели шары, и толстый выпускающий редактор на свинцовом столе верстал вторую полосу с телеграммами «По Союзу Республик». Одна гранка попалась ему на глаза, он всмотрелся в нее через пенсне и захохотал, созвал вокруг себя корректоров из корректорской и метранпажа и всем показал эту гранку. На узенькой полоске сырой бумаги было напечатано:

«Грачевка, Смоленской губернии. В уезде появилась курица величиною с лошадь и лягается, как конь. Вместо хвоста у нее буржуазные дамские перья».

Наборщики страшно хохотали.

— В мое время, — заговорил выпускающий, хихикая жирно, — когда я работал у Вани Сытина в «Русском слове», допивались до слонов. Это верно. А теперь, стало быть, до страусов.

Наборщики хохотали.

— А ведь верно, страус, — заговорил метранпаж. — Что же, ставить, Иван Вонифатьевич?

— Да что ты, сдурел, — ответил выпускающий. — Я удивляюсь, как секретарь пропустил, — просто пьяная телеграмма.

— Попраздновали, это верно, — согласились наборщики, и метранпаж убрал со стола сообщение о страусе.

Поэтому «Известия» вышли на другой день, содержа, как обыкновенно, массу интересного материала, но без каких бы то ни было намеков на грачевского страуса. Приват-доцент Иванов, аккуратно читающий «Известия», у себя в кабинете свернул лист, зевнув, молвил: ничего интересного, — и стал надевать белый халат. Через некоторое время в кабинете у него загорелись горелки и заквакали лягушки. В кабинете же у профессора Персикова была кутерьма. Испуганный Панкрат стоял и держал руки по швам.

— Понял... слушаю-с, — говорил он.

Персиков запечатанный сургучом пакет вручил ему, говоря:

— Поедешь прямо в отдел животноводства к этому заведующему Птахе и скажешь ему прямо, что он — свинья. Скажи, что я так, профессор Персиков, так и сказал. И пакет ему отдай.

«Хорошенькое дело...» — подумал бледный Панкрат и убрался с пакетом.

Персиков бушевал.

— Это черт знает что такое, — скулил он, разгуливая по кабинету и потирая руки в перчатках, — это неслыханное издевательство надо мной и над зоологией. Эти проклятые куриные яйца везут грудами, а я два месяца не могу добиться необходимого. Словно до Америки далеко! Вечная кутерьма, вечное безобразие! — Он стал считать по пальцам: — Ловля... ну, десять дней самое большее, ну, хорошо, — пятнадцать...

ну, хорошо, двадцать, и перелет два дня, из Лондона в Берлин день... Из Берлина к нам шесть часов... какое-то неописуемое безобразие...

Он яростно набросился на телефон и стал куда-то звонить.

В кабинете у него было все готово для каких-то таинственных и опаснейших опытов, лежала полосами нарезанная бумага для заклейки дверей, лежали водолазные шлемы с отводными трубками и несколько баллонов, блестящих, как ртуть, с этикеткою «Доброхим. Не прикасаться» и рисунком черепа со скрещенными костями.

Понадобилось по меньшей мере три часа, чтобы профессор успокоился и приступил к мелким работам. Так он и сделал. В институте он работал до одиннадцати часов вечера и поэтому ни о чем не знал, что творится за кремовыми стенами. Ни нелепый слух, пролетевший по Москве, о каких-то змеях, ни странная выкрикнутая телеграмма в вечерней газете ему остались неизвестны, потому что доцент Иванов был в Художественном театре на «Федоре Иоанновиче» и, стало быть, сообщить новость профессору было некому.

Персиков около полуночи приехал на Пречистенку и лег спать, почитав еще на ночь в кровати какую-то английскую статью в журнале «Зоологический вестник», полученном из Лондона. Он спал, да спала и вся вертящаяся до поздней ночи Москва, и не спал лишь громадный серый корпус на Тверской, во дворе, где страшно гудели, потрясая все здание, ротационные машины «Известий». В кабинете выпускающего происходила невероятная кутерьма и путаница. Он, совершенно бешеный, с красными глазами, метался, не зная, что делать, и посылал всех к чертовой матери. Метранпаж ходил за ним и, дыша винным духом, говорил:

— Ну что же, Иван Вонифатьевич, не беда, пускай завтра утром выпускают экстренное приложение. Не из машины же номер выдирать.

Наборщики не разошлись домой, а ходили стаями, сбивались кучами и читали телеграммы, которые шли теперь всю ночь напролет, через каждые четверть часа, становясь все чудовищнее и страннее. Острая шляпа Альфреда Бронского мелькала в ослепительном розовом свете, заливавшем типографию, и механический толстяк скрипел и ковылял, показываясь то здесь, то там. В подъезде хлопали двери, и всю ночь появлялись репортеры. По всем двенадцати телефонам типографии звонили непрерывно, и станция почти механически подавала в ответ на загадочные трубки «занято», «занято», и на станции перед бессонными барышнями пели и пели сигнальные рожки...

Наборщики облепили механического толстяка, и капитан дальнего плавания говорил им:

— Аэропланы с газом придется посылать.

— Не иначе, — отвечали наборщики, — ведь это что ж такое.

Затем страшная матерная ругань перекатывалась в воздухе, и чей-то визгливый голос кричал:

— Этого Персикова расстрелять надо.

— При чем тут Персиков, — отвечали из гущи, — этого сукина сына в совхозе — вот кого расстрелять.

— Охрану надо было поставить, — выкрикивал кто-то.

— Да, может, это вовсе и не яйца.

Все здание тряслось и гудело от ротационных колес, и создавалось такое впечатление, что серый неприглядный корпус полыхает электрическим пожаром.

Занявшийся день не остановил его. Напротив, только усилил, хоть электричество и погасло. Мотоциклетки одна за другой вкатывались в асфальтовый двор, вперемежку с автомобилями. Вся Москва встала, и белые листы газеты одели ее, как птицы. Листы сыпались и шуршали у всех в руках, и у газетчиков к одиннадцати часам дня не хватило номеров, несмотря на то, что «Известия» выходили в этом месяце тиражом в полтора миллиона экземпляров. Профессор Персиков выехал с Пречистенки на автобусе и прибыл в институт. Там его ожидала новость. В вестибюле стояли аккуратно обшитые металлическими полосами деревянные ящики, в количестве трех штук, испещренные заграничными наклейками на немецком языке, и над ними царствовала одна русская меловая надпись: «Осторожно — яйца».

Бурная радость овладела профессором.

— Наконец-то, — вскричал он. — Панкрат, взламывай ящики немедленно и осторожно, чтобы не побить. Ко мне в кабинет.

Панкрат немедленно исполнил приказание, и через четверть часа в кабинете профессора, усеянном опилками и обрывками бумаги, забушевал его голос.

— Да они что же, издеваются надо мною, что ли, — выл профессор, потрясая кулаками и вертя в руках яйца, — это какая-то скотина, а не Птаха. Я не позволю смеяться надо мной. Это что такое, Панкрат?

— Яйца-с, — отвечал Панкрат горестно.

— Куриные, понимаешь, куриные, черт бы их задрал! На какого дьявола они мне нужны? Пусть посылают их этому негодяю в его совхоз!

Персиков бросился в угол к телефону, но не успел позвонить.

— Владимир Ипатьич! Владимир Ипатьич! — загремел в коридоре института голос Иванова.

Персиков оторвался от телефона, и Панкрат стрельнул в сторону, давая дорогу приват-доценту. Тот вбежал в кабинет, вопреки своему джентльменскому обычаю, не снимая серой шляпы, сидящей на затылке, и с газетным листом в руках.

— Вы знаете, Владимир Ипатьич, что случилось, — выкрикивал он и взмахнул перед лицом Персикова листом с надписью «Экстренное приложение», посредине которого красовался яркий цветной рисунок.

— Нет, выслушайте, что они сделали, — в ответ закричал, не слушая, Персиков, — они меня вздумали удивить куриными яйцами. Этот Птаха форменный идиот, посмотрите!

Иванов совершенно ошалел. Он в ужасе уставился на вскрытые ящики, потом на лист, затем глаза его почти выпрыгнули с лица.

— Так вот что, — задыхаясь, забормотал он, — теперь я понимаю... Нет, Владимир Ипатьич, вы только гляньте. — Он мгновенно развернул лист и дрожащими пальцами указал Персикову на цветное изображение. На нем, как страшный пожарный шланг, извивалась оливковая в желтых пятнах змея в странной смазанной зелени. Она была снята сверху, с легонькой летательной машины, осторожно скользнувшей над змеей. — Кто это, по-вашему, Владимир Ипатьич?

Персиков сдвинул очки на лоб, потом передвинул их на глаза, всмотрелся в рисунок и сказал в крайнем удивлении:

— Что за черт. Это... да это анаконда, водяной удав...

Иванов сбросил шляпу, опустился на стул и сказал, выстукивая каждое слово кулаком по столу:

— Владимир Ипатьич, эта анаконда из Смоленской губернии. Что-то чудовищное. Вы понимаете, этот негодяй вывел змей вместо кур, и, вы поймите, они дали такую же самую феноменальную кладку, как лягушки!

— Что такое? — ответил Персиков, и лицо его сделалось бурым... — Вы шутите, Петр Степанович... Откуда?

Иванов онемел на мгновенье, потом получил дар слова и, тыча пальцем в открытый ящик, где сверкали беленькие головки в желтых опилках, сказал:

— Вот откуда.

— Что-о?! — завыл Персиков, начиная соображать.

Иванов совершенно уверенно взмахнул двумя сжатыми кулаками и закричал:

— Будьте покойны. Они ваш заказ на змеиные и страусовые яйца переслали в совхоз, а куриные вам по ошибке.

— Боже мой... Боже мой, — повторил Персиков и, зеленея лицом, стал садиться на винтящийся табурет.

Панкрат совершенно одурел у двери, побледнел и онемел. Иванов вскочил, схватил лист и, подчеркивая острым ногтем строчку, закричал в уши профессору:

— Ну, теперь они будут иметь веселую историю!.. Что теперь будет, я решительно не представляю. Владимир Ипатьич, вы гляньте, — и он завопил вслух, вычитывая первое попавшееся место со скомканного листа: — «Змеи идут стаями в направлении Можайска... откладывая неимоверные количества яиц. Яйца были замечены в Духовском уезде... Появились крокодилы и страусы. Части особого назначения... и отряды государственного управления прекратили панику в Вязьме после того, как зажгли пригородный лес, остановивший движение гадов...»

Персиков, разноцветный, иссиня-бледный, с сумасшедшими глазами, поднялся с табуретки и, задыхаясь, начал кричать:

— Анаконда... анаконда... водяной удав! Боже мой! — В таком состоянии его еще никогда не видали ни Иванов, ни Панкрат.

Профессор сорвал одним взмахом галстук, оборвал пуговицы на сорочке, побагровел страшным паралитичным цветом и, шатаясь, с совершенно тупыми стеклянными глазами, ринулся куда-то вон. Вопль разлетелся под каменными сводами института.

— Анаконда... анаконда... — загремело эхо.

— Лови профессора! — взвизгнул Иванов Панкрату, заплясавшему от ужаса на месте. — Воды ему... у него удар.

Глава XI
БОЙ И СМЕРТЬ

Пылала бешеная электрическая ночь в Москве. Горели все огни, и в квартирах не было места, где бы не сияли лампы со сброшенными абажурами. Ни в одной квартире Москвы, насчитывающей четыре миллиона населения, не спал ни один человек, кроме неосмысленных детей. В квартирах ели и пили как попало, в квартирах что-то выкрикивали, и поминутно искаженные лица выглядывали в окна во всех этажах, устремляя взоры в небо, во всех направлениях изрезанное прожекторами. На небе то и дело вспыхивали белые огни, отбрасывали тающие бледные конусы на Москву и исчезали, и гасли. Небо беспрерывно гудело очень низким аэропланным гулом. В особенности страшно было на Тверской-Ямской. На Александровский вокзал через каждые десять минут приходили поезда, сбитые как попало из товарных и разноклассных вагонов и даже цистерн, облепленных обезумевшими людьми, и по Тверской-Ямской бежали густой кашей, ехали в автобусах, ехали на крышах трамваев, давили друг друга и попадали под колеса. На вокзале то и дело вспыхивала трескучая тревожная стрельба поверх толпы — это воинские части останавливали панику сумасшедших, бегущих по стрелкам железных дорог из Смоленской губернии на Москву. На вокзале то и дело с бешеным легким всхлипыванием вылетали стекла в окнах и выли все паровозы. Все улицы были усеяны плакатами, брошенными и растоптанными, и эти же плакаты под жгучими малиновыми рефлекторами глядели со стен. Они всем уже были известны, и никто их не читал. В них Москва объявлялась на военном положении. В них грозили за панику и сообщали, что в Смоленскую губернию часть за частью уже едут отряды Красной Армии, вооруженные газами.

Но плакаты не могли остановить воющей ночи. В квартирах роняли и били посуду и цветочные вазоны, бегали, задевая за углы, разматывали и сматывали какие-то узлы и чемоданы, в тщетной надежде пробраться на Каланчевскую площадь, на Ярославский или Николаевский вокзал. Увы, все вокзалы, ведущие на север и восток, были оцеплены густейшим слоем пехоты, и громадные грузовики, колыша и бренча цепями, до верху нагруженные ящиками, поверх которых сидели армейцы в остроконечных шлемах, ощетинившиеся во все стороны штыками, увозили запасы золотых монет из подвалов Народного комиссариата финансов и громадные ящики с надписью: «Осторожно. Третьяковская галерея». Машины рявкали и бегали по всей Москве.

Очень далеко на небе дрожал отсвет пожара, и слышались, колыша густую черноту августа, беспрерывные удары пушек.

Под утро, по совершенно бессонной Москве, не потушившей ни одного огня, вверх по Тверской, сметая все встречное, что жалось в подъезды и витрины, выдавливая стекла, прошла многотысячная, стрекочущая копытами по торцам, змея Конной армии. Малиновые башлыки мотались концами на серых спинах, и кончики пик кололи небо. Толпа, мечущаяся и воющая, как будто ожила сразу, увидав ломящиеся вперед, рассекающие расплеснутое варево безумия, шеренги. В толпе на тротуарах начали призывно, с надеждою, выть.

— Да здравствует Конная армия! — кричали исступленные женские голоса.

— Да здравствует! — отзывались мужчины.

— Задавят!! Давят!.. — выли где-то.

— Помогите! — кричали с тротуара.

Коробки папирос, серебряные деньги, часы полетели в шеренги с тротуаров, какие-то женщины выскакивали на мостовую и, рискуя костями, плелись с боков конного строя, цепляясь за стремена и целуя их. В беспрерывном стрекоте копыт изредка взмывали голоса взводных:

— Короче повод.

Где-то пели весело и разухабисто, и с коней смотрели в зыбком рекламном свете лица в заломленных малиновых шапках. То и дело прерывая шеренги конных с открытыми лицами, шли на конях же странные фигуры, в странных чадрах, с отводными за спину трубками и с баллонами на ремнях за спиной. За ними ползли громадные цистерны-автомобили с длиннейшими рукавами и шлангами, точно на пожарных повозках, и тяжелые, раздавливающие торцы, наглухо закрытые и светящиеся узенькими бойницами танки на гусеничных лапах. Прерывались шеренги конных, и шли автомобили, зашитые наглухо в серую броню, с теми же трубками, торчащими наружу, и белыми нарисованными черепами на боках с надписью: «Газ. Доброхим».

— Выручайте, братцы, — завывали с тротуаров, — бейте гадов... Спасайте Москву!

— Мать... мать...— перекатывалось по рядам. Папиросы пачками прыгали в освещенном ночном воздухе, и белые зубы скалились на ошалевших людей с коней. По рядам разливалось глухое и щиплющее сердце пение:

> ...Ни туз, ни дама, ни валет,
> Побьем мы гадов без сомненья,
> Четыре с боку — ваших нет...

Гудящие раскаты «ура» выплывали над всей этой кашей, потому что пронесся слух, что впереди шеренг на лошади, в таком же малиновом башлыке, как и все всадники, едет ставший легендарным десять лет назад, постаревший и поседевший командир конной громады. Толпа завывала, и в небо улетал, немного успокаивая мятущиеся сердца, гул: «ура... ура...»

————

Институт был скупо освещен. События в него долетали только отдельными, смутными и глухими отзвуками. Раз под огненными часами близ манежа грохнул веером залп, это расстреляли на месте мародеров, пытавшихся ограбить квартиру на Волхонке. Машинного движения на улице здесь было мало, оно все сбивалось к вокзалам. В кабинете профессора, где тускло горела одна лампа, отбрасывая пучок на стол, Персиков сидел, положив голову на руки, и молчал. Слоистый дым веял вокруг него. Луч в ящике погас. В террариях лягушки молчали, потому что уже спали. Профессор не работал и не читал. В стороне, под левым его локтем, лежал вечерний выпуск телеграмм на узкой полосе, сообщавший, что Смоленск горит весь и что артиллерия обстреливает Можайский лес по квадратам, громя залежи крокодильих яиц, разложенных во всех сырых оврагах. Сообщалось, что эскадрилья аэропланов под Вязьмою действовала весьма удачно, залив газом почти весь уезд, но что жертвы человеческие в этих пространствах неисчислимы из-за того, что население, вместо того чтобы покидать уезды в порядке правильной эвакуации, благодаря панике, металось разрозненными группами на свой риск и страх, кидаясь куда глаза глядят. Сообщалось, что отдельная Кавказская кавалерийская дивизия в можайском направлении блистательно выиграла бой со страусовыми стаями, перерубив их всех и уничтожив громадные кладки страусовых яиц. При этом дивизия понесла незначительные потери. Сообщалось от правительства, что в случае, если гадов не удастся удержать в двухсотверстной зоне от столицы, она будет эвакуирована в полном порядке. Служащие и рабочие должны соблюдать полное спокойствие. Правительство примет самые жестокие меры к тому, чтобы не допустить смоленской истории, в результате которой благодаря смятению, вызванному неожиданным нападением гремучих змей, появившихся в количестве нескольких тысяч, город загорелся во всех местах, где бросили горящие печи и начали безнадежный повальный исход. Сообщалось, что продовольствием Москва обеспечена по меньшей мере на полгода и что совет при главнокомандующем предпринимает срочные меры к бронировке квартир для того, чтобы вести бои с гадами на самых улицах столицы, в случае, если красным армиям и аэропланам и эскадрильям не удастся удержать нашествие пресмыкающихся.

Ничего этого профессор не читал, смотрел остекленевшими глазами перед собой и курил. Кроме него только два человека были в институте — Панкрат и то и дело заливающаяся слезами экономка Марья Степановна, бессонная уже третью ночь, которую она проводила в кабинете профессора, ни за что не желающего покинуть свой единственный оставшийся потухший ящик. Теперь Марья Степановна приютилась на клеенчатом диване, в тени, в углу, и молчала в скорбной думе, глядя, как чайник с чаем, предназначенным для профессора, закипал на треножнике газовой горелки. Институт молчал, и все произошло внезапно.

С тротуара вдруг послышались ненавистные звонкие крики, так что Марья Степановна вскочила и взвизгнула. На улице замелькали огни фонарей, и отозвался голос Панкрата в вестибюле. Профессор плохо воспринял этот шум. Он поднял на мгновение голову, пробормотал: «Ишь как беснуются... что ж я теперь поделаю». И вновь впал в оцепенение. Но оно было нарушено. Страшно загремели кованые двери института, выходящие на Герцена, и все стены затряслись. Затем лопнул сплошной зеркальный слой в соседнем кабинете. Зазвенело и высыпалось стекло в кабинете профессора, и серый булыжник прыгнул в окно, развалив стеклянный стол. Лягушки шарахнулись в террариях и подняли вопль. Заметалась, завизжала Марья Степановна, бросилась к профессору, хватая его за руки и крича: «Убегайте, Владимир Ипатьич, убегайте». Тот поднялся с винтящегося стула, выпрямился и, сложив палец крючочком, ответил, причем его глаза на миг приобрели прежний остренький блеск, напоминавший прежнего вдохновенного Персикова.

— Никуда я не пойду, — проговорил он, — это просто глупость, — они мечутся как сумасшедшие... Ну, а если вся Москва сошла с ума, то куда же я уйду. И пожалуйста, перестаньте кричать. При чем здесь я. Панкрат! — позвал он и нажал кнопку.

Вероятно, он хотел, чтоб Панкрат прекратил всю суету, которой он вообще никогда не любил. Но Панкрат ничего уже не мог поделать. Грохот кончился тем, что двери института растворились и издалека донеслись хлопушечки выстрелов, а потом весь каменный институт загрохотал бегом, выкриками, боем стекол. Мария Степановна вцепилась в рукав Персикова и начала его тащить куда-то. Он отбился от нее, вытянулся во весь рост и, как был в белом халате, вышел в коридор.

— Ну? — спросил он. Двери распахнулись, и первое, что появилось в дверях, это спина военного с малиновым шевроном и звездой на левом рукаве. Он отступал из двери, в которую напирала яростная толпа, спиной и стрелял из револьвера. Потом он бросился бежать мимо Персикова, крикнув ему:

— Профессор, спасайтесь, я больше ничего не могу сделать.

Его словам ответил визг Марьи Степановны. Военный проскочил мимо Персикова, стоящего как белое изваяние, и исчез во тьме извилистых коридоров в противоположном конце. Люди вылетели из дверей, завывая:

— Бей его! Убивай...
— Мирового злодея!
— Ты распустил гадов!

Искаженные лица, разорванные платья запрыгали в коридорах, и кто-то выстрелил. Замелькали палки. Персиков немного отступил назад, прикрыл дверь, ведущую в кабинет, где в ужасе на полу на коленях стояла Марья Степановна, распростер руки, как распятый... Он не хотел пустить толпу и закричал в раздражении:

— Это форменное сумасшествие... вы совершенно дикие звери. Что вам нужно? — Завыл: — Вон отсюда! — и закончил фразу резким, всем знакомым выкриком: — Панкрат, гони их вон!

Но Панкрат никого уже не мог выгнать. Панкрат с разбитой головой, истоптанный и рваный в клочья, лежал недвижимо в вестибюле, и новые и новые толпы рвались мимо него, не обращая внимания на стрельбу милиции с улицы.

Низкий человек, на обезьяньих кривых ногах, в разорванном пиджаке, в разорванной манишке, сбившейся на сторону, опередил других, дорвался до Персикова и страшным ударом палки раскроил ему голову. Персиков качнулся, стал падать на бок, и последним его словом было:

— Панкрат... Панкрат...

Ни в чем не повинную Марью Степановну убили и растерзали в кабинете, камеру, где потух луч, разнесли в клочья, в клочья разнесли террарии, перебив и истоптав обезумевших лягушек, раздробили стеклянные столы, раздробили рефлекторы, а через час институт пылал, возле него валялись трупы, оцепленные шеренгою вооруженных электрическими револьверами, и пожарные автомобили, насасывая воду из кранов, лили струи во все окна, из которых, гудя, длинно выбивалось пламя.

Глава XII
МОРОЗНЫЙ БОГ НА МАШИНЕ

В ночь с 19-го на 20 августа 1928 года упал неслыханный, никем из старожилов никогда еще не отмеченный, мороз. Он пришел и продержался двое суток, достигнув восемнадцати градусов. Остервеневшая Москва заперла все окна, все двери. Только к концу третьих суток поняло население, что мороз спас столицу и те безграничные пространства, которыми она владела и на которые упала страшная беда 28-го года. Конная армия под Можайском, потерявшая три четверти своего состава, начала изнемогать, и газовые эскадрильи не могли остановить движения мерзких пресмыкающихся, полукольцом заходивших с запада, юго-запада и юга по направлению к Москве.

Их задушил мороз. Двух суток по восемнадцать градусов не выдержали омерзительные стаи, и в 20-х числах августа, когда мороз исчез, оставив лишь сырость и мокроту, оставив влагу в воздухе, оставив побитую нежданным холодом зелень на деревьях, биться больше было не с кем. Беда кончилась. Леса, поля, необозримые болота были еще завалены разноцветными яйцами, покрытыми порою странным, нездешним, невиданным рисунком, который безвестно пропавший Рокк принимал за грязюку, но эти яйца были совершенно безвредны. Они были мертвы, зародыши в них прикончены.

Необозримые пространства земли еще долго гнили от бесчисленных трупов крокодилов и змей, вызванных к жизни таинственным, родившимся на улице Герцена в гениальных глазах лучом, но они уже не были опасны, непрочные созданья гнилостных, жарких тропических болот погибли в два дня, оставив на пространстве трех губерний страшное зловоние, разложение и гной.

Были долгие эпидемии, были долго повальные болезни от трупов гадов и людей, и долго еще ходила армия, но уже снабженная не газами, а саперными принадлежностями, керосинными цистернами и шлангами, очищая землю. Очистила, и все кончилось к весне 29-го года.

А весною 29-го года опять затанцевала, загорелась и завертелась огнями Москва, и опять по-прежнему шаркало движение механических экипажей, и над шапкою Храма Христа висел, как на ниточке, лунный серп, и на месте сгоревшего в августе 28-го года двухэтажного института выстроили новый зоологический дворец, и им заведовал приват-доцент Иванов, но Персикова уже не было. Никогда не возникал перед глазами людей скорченный убедительный крючок из пальца, и никто больше не слышал скрипучего, квакающего голоса. О луче и катастрофе 28-го года еще долго говорил и писал весь мир, но потом имя профессора Владимира Ипатьевича Персикова оделось туманом и погасло, как погас и самый открытый им в апрельскую ночь красный луч. Луч же этот вновь получить не удалось, хоть иногда изящный джентльмен и ныне ординарный профессор Петр Степанович Иванов и пытался. Первую камеру уничтожила разъяренная толпа в ночь убийства Персикова. Три камеры сгорели в Никольском совхозе «Красный луч» при первом бое эскадрильи с гадами, а восстановить их не удалось. Как ни просто было сочетание стекол с зеркальными пучками света, его не скомбинировали второй раз, несмотря на старания Иванова. Очевидно, для этого нужно было что-то особенное, кроме знания, чем обладал в мире только один человек — покойный профессор Владимир Ипатьевич Персиков.

Москва, 1924 г., октябрь

Собачье сердце

Чудовищная
история

I

У-у-у-у-у-у-гу-гу-гугу-уу! О, гляньте на меня, я погибаю! Вьюга в подворотне ревет мне отходную, и я вою с нею. Пропал я, пропал! Негодяй в грязном колпаке — повар столовой нормального питания служащих Центрального совета народного хозяйства плеснул кипятком и обварил мне левый бок. Какая гадина, а еще пролетарий! Господи, Боже мой, как больно! До костей проело кипяточком. Я теперь вою, вою, вою, да разве воем поможешь?

Чем я ему помешал? Чем? Неужели я обожру Совет народного хозяйства, если в помойке пороюсь? Жадная тварь. Вы гляньте когда-нибудь на его рожу: ведь он поперек себя шире! Вор с медной мордой. Ах, люди, люди. В полдень угостил меня колпак кипятком, а сейчас стемнело, часа четыре приблизительно пополудни, судя по тому, как луком пахнет из пожарной Пречистенской команды. Пожарные ужинают кашей, как вам известно. Но это последнее дело, вроде грибов. Знакомые псы с Пречистенки, впрочем, рассказывали, будто бы на Неглинном в ресторане «Бар» жрут дежурное блюдо — грибы, соус пикан по три рубля семьдесят пять копеек порция. Это дело на любителя — все равно что калошу лизать... У-у-у-у...

Бок болит нестерпимо, и даль моей карьеры видна мне совершенно отчетливо: завтра появятся язвы, и,

143

спрашивается, чем я их буду лечить? Летом можно смотаться в Сокольники, там есть особенная, очень хорошая трава, а кроме того, нажрешься бесплатно колбасных головок, бумаги жирной набросают граждане, налижешься. И если б не грымза какая-то, что поет на кругу при луне — «милая Аида» — так, что сердце падает, было бы отлично. А теперь куда же пойдешь? Не били вас в зад сапогом? Били. Кирпичом по ребрам получали? Кушано достаточно. Все испытал, с судьбой своею мирюсь и если плачу сейчас, то только от физической боли и от холода, потому что дух мой еще не угас... Живуч собачий дух.

Но вот тело мое изломанное, битое, надругались над ним люди достаточно. Ведь главное что — как врезал он кипяточком, под шерсть проело, и защиты, стало быть, для левого бока нет никакой. Я очень легко могу получить воспаление легких, а получив его, я, граждане, подохну с голоду. С воспалением легких полагается лежать на парадном ходе под лестницей, а кто же вместо меня, лежащего холостого пса, будет бегать по сорным ящикам в поисках питания? Прохватит легкое, поползу я на животе, ослабею, и любой спец пришибет меня палкой насмерть. И дворники с бляхами ухватят меня за ноги и выкинут на телегу...

Дворники из всех пролетариев самая гнусная мразь. Человечьи очистки, самая низшая категория. Повар попадается разный. Например, покойный Влас с Пречистенки. Скольким он жизнь спас! Потому что самое главное — во время болезни перехватить кус. И вот, бывало, говорят старые псы, махнет Влас кость, а на ней с осьмушку мяса. Царство ему небесное за то, что был настоящая личность, барский повар графов Толстых, а не из Совета нормального питания. Что они там вытворяют в нормальном питании — уму собачьему непостижимо! Ведь они же, мерзавцы, из вонючей солонины щи варят, а те, бедняги, ничего и не знают! Бегут, жрут, лакают!

144

Иная машиносточка получает по девятому разряду четыре с половиной червонца, ну, правда, любовник ей фильдеперсовые чулочки подарит. Да ведь сколько за этот фильдеперс ей издевательств надо вынести. Ведь он ее не каким-нибудь обыкновенным способом, а подвергает французской любви! Сволочи эти французы, между нами говоря. Хоть и лопают богато, да и все с красным вином. Да... Прибежит машиносточка, ведь за 4,5 червонца в «Бар» не пойдешь, ей и на кинематограф не хватает, а кинематограф у женщин единственное утешение в жизни.

Дрожит, морщится, а лопает... Подумать только: 40 копеек из двух блюд, а они оба эти блюда и пятиалтынного не стоят, потому что остальные 25 копеек заведующий хозяйством уворовал. А ей разве такой стол нужен? У нее и верхушка правого легкого не в порядке, и женская болезнь на французской почве, на службе с нее вычли, тухлятиной в столовой накормили, вон она, вон она!! Бежит в подворотню в любовниковых чулках. Ноги холодные, в живот дует, потому что шерсть на ней вроде моей, а штаны она носит холодные, так, кружевная видимость. Рвань для любовника. Надень-ка она фланелевые, попробуй. Он и заорет: до чего ты неизящна! Надоела мне моя Матрена, намучился я с фланелевыми штанами, теперь пришло мое времечко. Я теперь председатель, и сколько ни накраду — все, все на женское тело, на раковые шейки, на Абрау-Дюрсо! Потому что наголодался в молодости достаточно, будет с меня, а загробной жизни не существует.

Жаль мне ее, жаль. Но самого себя мне еще больше жаль. Не из эгоизма говорю, о нет, а потому что действительно мы не в равных условиях. Ей-то хоть дома тепло, ну а мне, а мне! Куда пойду! Битый, обваренный, оплеванный, куда же я пойду? У-у-у-у-у!..

— Куть, куть, куть! Шарик, а Шарик!.. Чего ты скулишь, бедняжка? А? Кто тебя обидел? Ух...

Ведьма — сухая метель загремела воротами и помелом съездила по уху барышню. Юбчонку взбила до колен, обнажила кремовые чулочки и узкую полосочку плохо стиранного кружевного бельишка, задушила слова и замела пса.

Боже мой... Какая погода... Ух... И живот болит. Эта солонина, эта солонина! И когда же это все кончится?

Наклонив голову, бросилась барышня в атаку, прорвалась за ворота, и на улице ее начало вертеть, рвать, раскидывать, потом завинтило снежным винтом, и она пропала.

А пес остался в подворотне и, страдая от изуродованного бока, прижался к холодной массивной стене, задохся и твердо решил, что больше отсюда никуда не пойдет, тут и сдохнет в подворотне. Отчаяние повалило его. На душе у него было до того горько и больно, до того одиноко и страшно, что мелкие собачьи слезы, как пупырыши, вылезли из глаз и тут же засыхали. Испорченный бок торчал свалявшимися промерзшими комьями, а между ними глядели красные зловещие пятна от вара. До чего бессмысленны, тупы, жестоки повара. «Шарик» она назвала его! Какой он, к черту, «Шарик»! Шарик — это значит, круглый, упитанный, глупый, овсянку жрет, сын знатных родителей, а он лохматый, долговязый и рваный, шляйка поджарая, бездомный пес. Впрочем, спасибо ей на добром слове.

Дверь через улицу в ярко освещенном магазине хлопнула, и из нее показался гражданин. Именно гражданин, а не товарищ, и даже, вернее всего, господин. Ближе — яснее — господин. Вы думаете, я сужу по пальто? Вздор. Пальто теперь очень многие и из пролетариев носят. Правда, воротники не такие, об этом и говорить нечего, но все же издали можно спутать. А вот по глазам, тут уж ни вблизи, ни издали не спутаешь! О, глаза значительная вещь. Вроде барометра. Все видно — у кого великая сушь в душе, кто ни за что ни про что может ткнуть носком сапога в ребра, а кто сам всякого боится. Вот последнего холуя именно и приятно бывает тяпнуть за лодыжку. Боишься — получай! Раз боишься, значит, стоишь... Р-р-р-... гау-гау...

Господин уверенно пересек в столбе метели улицу и двинулся в подворотню. Да, да, у этого все видно. Этот тухлой солонины лопать не станет, а если где-нибудь ему ее и подадут, поднимет такой скандал, в газеты напишет — меня, Филиппа Филипповича, обкормили!

Вот он все ближе, ближе. Этот ест обильно и не ворует, этот не станет пинать ногой, но и сам никого не боится, а не боится потому, что вечно сыт. Он умственного труда господин, с культурной остроконечной бородкой и усами седыми, пушистыми и лихими, как у французских рыцарей, но запах по метели от него летит скверный — больницей и сигарой.

Какого же лешего, спрашивается, носило его в кооператив Центрохоза? Вот он рядом... Чего ищет? У-у-у-у... Что он мог покупать в дрянном магазинишке, разве ему мало Охотного ряда? Что такое?! Кол-ба-су. Господин, если бы вы видели, из чего эту колбасу делают, вы бы близко не подошли к магазину. Отдайте ее мне!

Пес собрал остаток сил и в безумии пополз из подворотни на тротуар. Вьюга захлопала из ружья над головой, взметнула громадные буквы полотняного плаката «Возможно ли омоложение?».

Натурально возможно. Запах омолодил меня, поднял с брюха, жгучими волнами стеснил двое суток пустующий желудок, запах, победивший больницу, райский запах рубленой кобылы с чесноком и перцем. Чувствую, знаю — в правом кармане шубы у него колбаса! Он надо мной. О, мой властитель! Глянь на меня — я умираю. Рабская наша душа, подлая доля!

Пес полз, как змея, на брюхе, обливаясь слезами. Обратите внимание на поварскую работу. Но ведь вы ни за что не дадите. Ох, знаю я очень хорошо богатых людей! А в сущности зачем она вам? Для чего вам гнилая лошадь? — Нигде кроме такой отравы не получите, как в Моссельпроме. А вы сегодня завтракали, вы, величина мирового значения, благодаря мужским половым железам... У-у-у-у...

Что ж это делается на белом свете? Видно, помирать-то еще рано, а отчаяние — и подлинно грех? Руки ему лизать, больше ничего не остается.

Загадочный господин наклонился ко псу, сверкнул золотыми ободками глаз и вытащил из правого кармана белый продолговатый сверток. Не снимая коричневых перчаток, размотал бумагу, которой тотчас овладела метель, и отломил кусок колбасы, называемой «Особенная краковская». И псу этот кусок! О, бескорыстная личность. У-у-у!

— Фить-фить, — посвистал господин и добавил строжайшим голосом: — Бери! Шарик, Шарик.

Опять «Шарик»! Окрестили! Да называйте как хотите... За такой исключительный ваш поступок...

Пес мгновенно оборвал кожуру, с всхлипыванием вгрызся в краковскую и сожрал ее в два счета. При этом подавился колбасой и снегом до слез, потому что от жадности едва не заглотал веревочку. Еще, еще лижу вам руку. Целую штаны, мой благодетель!

— Будет пока что, — господин говорил так отрывисто, точно командовал. Он наклонился к Шарику, пытливо глянул ему в глаза и неожиданно провел рукой в перчатке интимно и ласково по Шариковому животу.

— А-га, — многозначительно молвил он, — ошейника нету, ну вот и прекрасно, тебя-то мне и надо. Ступай за мной. — Он пощелкал пальцами. — Фить-фить!

За вами идти? Да на край света, пинайте меня вашими фетровыми ботинками, я слова не вымолвлю.

По всей Пречистенке сияли фонари. Бок болел нестерпимо, но Шарик временами забывал о нем, поглощенный одною мыслью — как бы не утратить в сутолоке чудесного видения в шубе и чем-нибудь выразить ему любовь и преданность. И раз семь на протяжении Пречистенки до Обухова переулка он ее выразил. Поцеловал в ботик, у Мертвого переулка, расчища дорогу, диким воем так напугал какую-то даму, что она села на тумбу, раза два подвыл, чтобы поддержать жалость к себе.

Какой-то сволочной, под сибирского деланный кот-бродяга вынырнул из-за водосточной трубы и, несмотря на вьюгу, учуял краковскую. Пес Шарик света невзвидел при мысли, что богатый чудак, подбирающий раненых псов в подворотне, чего доброго, и этого вора прихватит с собой, и придется делиться моссельпромовским изделием. Поэтому на кота он так лязгнул зубами, что тот с шипением, похожим на шипение дырявого шланга, взобрался по трубе до второго этажа. Ф-р-р-р... гау... вон! Не напасешься Моссельпрома на всякую рвань, шляющуюся по Пречистенке!

Господин оценил преданность и у самой пожарной команды, у окошка, из которого слышалось приятное ворчание валторны, наградил пса вторым куском, поменьше, золотников на пять.

Эх, чудак. Это он меня подманивает. Не беспокойтесь, я и сам никуда не уйду. За вами буду двигаться, куда ни прикажете.

— Фить-фить-фить, сюда!

В Обухов? Сделайте одолжение. Очень хорошо известен нам этот переулок.

Фить-фить!

Сюда? С удово... Э, нет! Позвольте. Нет! Тут швейцар. А уж хуже этого ничего нет на свете. Во много раз опаснее дворника. Совершенно ненавистная порода. Гаже котов. Живодер в позументе!

— Да не бойся ты, иди!

— Здравия желаю, Филипп Филиппович.

— Здравствуйте, Федор.

Вот это личность! Боже мой, на кого же ты нанесла меня, собачья моя доля? Что это за такое лицо, которое может псов с улицы мимо швейцаров вводить в дом жилищного товарищества? Посмотрите, этот подлец ни звука, ни движения. Правда, в глазах у него пасмурно, но, в общем, он равнодушен под околышем с золотыми галунами. Словно так и полагается. Уважает, господа, до чего уважает! Ну-с, а я с ним и за ним. Что, тронул? Выкуси. Вот бы тяпнуть за пролетарскую мозолистую ногу. За все издевательства вашего брата. Щеткой сколько раз морду уродовал мне, а?

— Иди, иди.

Понимаем, понимаем, не извольте беспокоиться. Куда вы, туда и мы. Вы только дорожку указывайте, а я уж не отстану, несмотря на отчаянный мой бок.

С лестницы вниз:

— Писем мне, Федор, не было?

Снизу на лестницу, почтительно:

— Никак нет, Филипп Филиппович (интимно, вполголоса вдогонку), в третью квартиру жилтоварищей вселили.

Важный песий благотворитель круто обернулся на ступеньке и, перегнувшись через перила, в ужасе спросил:

— Ну-у?

Глаза его округлились, и усы встали на дыбы.

Швейцар снизу задрал голову, приложил ладошку к губам и подтвердил:

— Точно так. Целых четыре штуки.

— Бо-же мой! Воображаю, что теперь будет в квартире. Ну и что ж они?

— Да ничего-с!

— А Федор Павлович?

— За ширмами поехали и за кирпичом. Перегородки будут ставить.

— Черт знает что такое!

— Во все квартиры, Филипп Филиппович, будут вселять, кроме вашей. Сейчас собрание было, постановление вынесли, новое товарищество. А прежних — в шею.

— Что делается. Ай-яй-яй. Фить-фить...

Иду-с, поспешаю. Бок, изволите ли видеть, дает себя знать. Разрешите лизнуть сапожок.

Галун швейцара скрылся внизу, на мраморной площадке повеяло теплом от труб, еще раз повернули, и вот — бельэтаж.

II

Учиться читать совершенно ни к чему, когда мясо и так пахнет за версту. Тем не менее, ежели вы проживаете в Москве и хоть какие-нибудь мозги у вас в голове имеются, вы волей-неволей выучитесь грамоте, и притом безо всяких курсов. Из сорока тысяч московских псов разве уж какой-нибудь совершенный идиот не сумеет сложить из букв слово «колбаса».

Шарик начал учиться по цветам. Лишь только исполнилось ему четыре месяца, по всей Москве развесили зелено-голубые вывески с надписью «МСПО — мясная торговля». Повторяем, все это ни к чему, потому что и так мясо слышно. И путаница раз произошла: равняясь по голубоватому едкому цвету, Шарик, обоняние которого зашиб бензинным дымом мотор, вкатил вместо мясной в магазин электрических принадлежностей братьев Голубизнер на Мясницкой улице. Там у братьев пес отведал изолированной проволоки, а она будет почище извозчичьего кнута. Этот знаменитый момент и следует считать началом шариковского образования. Уже на тротуаре, тут же, Шарик начал соображать, что «голубой» не всегда означает «мясной», и, зажимая от жгучей боли хвост между задними лапами и воя, припомнил, что на всех мясных первой слева стоит золотая или рыжая раскоряка, похожая на санки — «М».

Далее пошло еще успешнее. «А» он выучил в «Главрыбе» на углу Моховой, а потом уже «Б» (подбегать ему было удобнее с хвоста слова «рыба», потому что при начале слова стоял милиционер).

Изразцовые квадратики, облицовывавшие угловые места в Москве, всегда и неизбежно обозначали «С-ы-р». Черный кран от самовара, возглавлявший слово, обозначал бывшего хозяина Чичкина, горы голландского красного, зверей-приказчиков, ненавидящих собак, опилки на полу и гнуснейший, дурно пахнущий бакштейн.

Если играли на гармонике, что было немногим лучше «милой Аиды», и пахло сосисками, первые буквы на белых плакатах чрезвычайно удобно складывались в слово «неприли...», что означало «неприличными словами не выражаться и на чай не давать». Здесь порою винтом закипали драки, людей били кулаком по морде, правда, в редких случаях, псов же постоянно — салфетками или сапогами.

Если в окнах висели несвежие окорока ветчины и лежали мандарины... гау-гау... га... строномия. Если темные бутылки с плохой жидкостью... Ве-и-ви-нэ-а-зина... Елисеевы братья бывшие...

Неизвестный господин, притащивший пса к дверям своей роскошной квартиры, помещавшейся в бельэтаже, позвонил, а пес тотчас поднял глаза на большую, черную с золотыми буквами карточку, висящую сбоку широкой, застекленной волнистым и розоватым стеклом двери. Три первых буквы он сложил сразу: «Пе-эр-о» — «Про...». Но дальше шла пузатая двубокая дрянь, неизвестно что обозначающая.

«Неужто пролетарий? — подумал Шарик с удивлением, — быть этого не может». Он поднял нос кверху, еще раз обнюхал шубу и уверенно подумал: «Нет, здесь пролетарием и не пахнет. Ученое слово, а Бог его знает — что оно значит».

За розовым стеклом вспыхнул неожиданный и радостный свет, еще более оттенив черную карточку. Дверь совершенно бесшумно распахнулась, и молодая красивая женщина в белом фартучке и кружевной наколочке предстала перед псом и его господином. Первого из них обдало божественным теплом, и юбка женщины запахла, как ландыш.

«Вот это да. Это я понимаю», — подумал пес.

— Пожалуйте, господин Шарик, — иронически пригласил господин, и Шарик благоговейно пожаловал, вертя хвостом.

Великое множество предметов загромождало богатую переднюю. Тут же запомнилось зеркало до самого полу, немедленно отразившее второго истасканного и рваного Шарика, страшные оленьи рога в высоте, бесчисленные шубы и калоши и опаловый тюльпан с электричеством под потолком.

— Где же вы такого взяли, Филипп Филиппович? — улыбаясь, спрашивала женщина и помогала снимать тяжелую шубу на черно-бурой лисе с синеватой искрой, — батюшки, до чего паршивый!

— Вздор говоришь. Где ж он паршивый? — строго и отрывисто спрашивал господин.

По снятии шубы он оказался в черном костюме английского сукна, и на животе у него радостно и неярко засверкала золотая цепь.

— Погоди-ка, не вертись, фить... да не вертись, дурачок. Гм... Это не парши... да стой ты, черт... гм. А-а! Это ожог. Какой же негодяй тебя обварил? А? Да стой ты смирно!..

«Повар-каторжник, повар!» — жалобными глазами молвил пес и слегка подвыл.

— Зина, — скомандовал господин, — в смотровую его сейчас же и мне халат!

Женщина посвистала, пощелкала пальцами, и пес, немного поколебавшись, последовал за ней. Они вдвоем попали в узкий, тускло освещенный коридор, одну лакированную дверь миновали, пришли в конец, а затем попали налево и оказались в темной комнате, которая мгновенно не понравилась псу своим зловещим запахом. Тьма щелкнула и превратилась в ослепительный день, причем со всех сторон засверкало, засияло и забелело.

«Э, нет, — мысленно взвыл пес, — извините, не дамся! Понимаю, о черт бы взял их и с колбасой! Это меня в собачью лечебницу заманили. Сейчас касторку заставят жрать и весь бок изрежут ножиками, а до него и так дотронуться нельзя!»

— Э, нет, куда?! — закричала та, которую называли Зиной.

Пес извернулся, спружинился и вдруг ударил в дверь здоровым правым боком так, что хряснуло по всей квартире. Потом, отлетев назад, закрутился на месте, как кубарь под кнутом, причем вывернул на пол белое ведро, из которого разлетелись комья ваты. Во время верченья кругом него порхали стены, уставленные шкафами с блестящими инструментами, запрыгал белый передник и искаженное женское лицо.

— Куда ты, черт лохматый?!. — кричала отчаянно Зина, — вот окаянный!

«Где у них черная лестница?..» — соображал пес. Он размахнулся и комком ударил наобум в стекло, в надежде, что это вторая дверь. Туча осколков вылетела с громом и звоном, выпрыгнула пузатая банка с рыжей гадостью, которая мгновенно залила весь пол и завоняла. Настоящая дверь распахнулась.

— Стой! С-скотина, — кричал господин, прыгая в халате, надетом в один рукав, и хватая пса за ноги. — Зина, держи его за шиворот, мерзавца!

— Ба... Батюшки. Вот так пес!

Еще шире распахнулась дверь, и ворвалась еще одна личность мужского пола в халате. Давя битые стекла, она кинулась не ко псу, а к шкафу, раскрыла его и всю комнату наполнила сладким и тошным запахом. Затем личность навалилась на пса сверху животом, причем пес с увлечением тяпнул ее повыше шнурков на ботинке. Личность охнула, но не потерялась. Тошнотворная мерзость неожиданно перехватила дыхание пса, и в голове у него завертелось, потом ноги отвалились, и он поехал куда-то криво и вбок. «Спасибо, конечно, — мечтательно думал он, валясь прямо на острые стекла. — Прощай, Москва! Не видать мне больше Чичкина, и пролетариев, и краковской колбасы! Иду в рай за собачье долготерпенье. Братцы-живодеры, за что ж вы меня?»

И тут он окончательно завалился на бок и издох.

———

Когда он воскрес, у него легонько кружилась голова и чуть-чуть тошнило в животе, бока же как будто и не было, бок сладостно молчал. Пес приоткрыл правый томный глаз и краем его увидал, что он туго забинтован поперек боков и живота. «Всетаки отделали, сукины дети, — подумал он смутно, — но ловко, надо отдать им справедливость».

— «От Севильи до Гренады... в тихом сумраке ночей»,— запел над ним рассеянный и фальшивый голос.

Пес удивился, совсем открыл оба глаза и в двух шагах увидел мужскую ногу на белом табурете. Штанина и кальсона на ней были поддернуты, и голая желтая голень вымазана засохшей кровью и йодом.

«Угодники! — подумал пес. — Это, стало быть, я его кусанул. Моя работа. Ну, будут драть!»

— «Р-раздаются серенады, раздается стук мечей!» Ты зачем, бродяга, доктора укусил? А? Зачем стекло разбил? А?..

— У-у-у, — жалобно заскулил пес.

— Ну ладно. Опомнился и лежи, болван.

— Как это вам удалось, Филипп Филиппович, подманить такого нервного пса? — спросил приятный мужской голос, и триковая кальсона откатилась книзу. Запахло табаком, и в шкафу зазвенели склянки.

— Лаской-с. Единственным способом, который возможен в обращении с живым существом. Террором ничего поделать нельзя с животным, на какой бы ступени развития оно ни стояло. Это я утверждал, утверждаю и буду утверждать. Они напрасно думают, что террор им поможет. Нет-с, нет-с, не поможет, какой бы он ни был: белый, красный или даже коричневый! Террор совершенно парализует нервную систему. Зина! Я купил этому прохвосту краковской колбасы на один рубль сорок копеек. Потрудитесь накормить его, когда его перестанет тошнить.

Захрустели выметаемые стекла, и женский голос кокетливо заметил:

— Кра-ковской! Господи, да ему обрезков нужно было купить на двугривенный в мясной. Краковскую колбасу я сама лучше съем.

— Только попробуй. Я тебе съем! Это отрава для человеческого желудка. Взрослая девушка, а, как ребенок, тащишь в рот всякую гадость. Не сметь! Предупреждаю: ни я, ни доктор Борменталь не будем с тобой возиться, когда у тебя живот схватит... «Все, кто скажет, что другая здесь равняется с тобой!..»

Мягкие дробные звоночки сыпались в это время по всей квартире, а в отдалении из передней то и дело слышались голоса. Звенел телефон. Зина исчезла.

Филипп Филиппович бросил окурок папиросы в ведро, застегнул халат, перед зеркальцем на стене расправил пушистые усы и окликнул пса:

— Фить, фить. Ну, ничего, ничего! Идем принимать.

Пес поднялся на нетвердые ноги, покачался и подрожал, но быстро оправился и пошел следом за развевающейся полой Филиппа Филипповича. Опять пес пересек узкий коридор, но теперь увидел, что он ярко освещен сверху розеткой. Когда же открылась лакированная дверь, он вошел с Филиппом Филипповичем в кабинет, и тот ослепил пса своим убранством. Прежде всего он весь полыхал светом: горело под лепным потолком, горело на столе, горело на стене, в стеклах шкафов. Свет заливал целую бездну предметов, из которых самым занятным оказалась громадная сова, сидящая на стене на суку.

— Ложись, — приказал Филипп Филиппович.

Противоположная резная дверь открылась, вошел тот, тяпнутый, оказавшийся теперь в ярком свете очень красивым, молодым, с черной острой бородкой, подал лист и, молвив:

— Прежний... — тотчас бесшумно исчез, а Филипп Филиппович, распростерши полы халата, сел за громадный письменный стол и сразу сделался необыкновенно важным и представительным.

«Нет, это не лечебница, куда-то в другое место я попал, — в смятении подумал пес и привалился на ковровый узор у тяжелого кожаного дивана, — а сову эту мы разъясним...»

Дверь мягко открылась, и вошел некто, настолько поразивший пса, что он тявкнул, но очень робко.

— Молчать! Ба-ба-ба, да вас узнать нельзя, голубчик.

Вошедший очень почтительно и смущенно поклонился Филиппу Филипповичу.

— Хи-хи... Вы маг и чародей, профессор, — сконфуженно вымолвил он.

— Снимайте штаны, голубчик, — скомандовал Филипп Филиппович и поднялся.

«Господи Исусе, — подумал пес, — вот так фрукт!»

На голове у фрукта росли совершенно зеленые волосы, а на затылке они отливали ржавым табачным цветом. Морщины расползлись по лицу у фрукта, но цвет лица был розовый, как у младенца. Левая нога не сгибалась, ее приходилось волочить по ковру, зато правая

прыгала, как у детского щелкуна. На борту великолеп-
нейшего пиджака, как глаз, торчал драгоценный камень.

От интереса у пса даже прошла тошнота.

— Тяу, тяу... — он легонько потявкал.

— Молчать! Как сон, голубчик?

— Хе-хе. Мы одни, профессор? Это неописуемо, — конфузливо заговорил посетитель. — Пароль
д'оннер[1] — двадцать пять лет ничего подобного, —
субъект взялся за пуговицу брюк, — верите ли, профессор, каждую ночь обнаженные девушки стаями.
Я положительно очарован. Вы — кудесник.

— Хм, — озабоченно хмыкнул Филипп Филиппович, всматриваясь в зрачки гостя.

Тот совладал наконец с пуговицами и снял полосатые брюки. Под ними оказались не виданные никогда
кальсоны. Они были кремового цвета, с вышитыми на
них шелковыми черными кошками и пахли духами.

Пес не вынес кошек и гавкнул так, что субъект
подпрыгнул.

— Ай!

— Я тебя выдеру! Не бойтесь, он не кусается.

«Я не кусаюсь?..» — удивился пес.

Из кармана брюк вошедший выронил на ковер маленький конвертик, на котором была изображена красавица с распущенными волосами. Субъект подпрыгнул, наклонился, подобрал его и густо покраснел.

— Вы, однако, смотрите, — предостерегающе и хмуро сказал Филипп Филиппович, грозя пальцем, — вы
все-таки смотрите, не злоупотребляйте!

— Я не зло... — смущенно забормотал субъект,
продолжая раздеваться, — я, дорогой профессор, только в виде опыта.

— Ну, и что же, какие результаты? — строго спросил Филипп Филиппович.

---

[1] Честное слово (от *фр.* parole d'honneur).

Субъект в экстазе махнул рукой.

— Двадцать пять лет, клянусь Богом, профессор, ничего подобного. Последний раз в 1899 году в Париже на Рю де ла Пе.

— А почему вы позеленели?

Лицо пришельца затуманилось.

— Проклятая «Жиркость»! Вы не можете себе представить, профессор, что эти бездельники подсунули мне вместо краски. Вы только поглядите, — бормотал субъект, ища глазами зеркало. — Ведь это же ужасно! Им морду нужно бить! — свирепея, добавил он. — Что же мне теперь делать, профессор? — спросил он плаксиво.

— Хм... Обрейтесь наголо.

— Профессор, — жалобно восклицал посетитель, — да ведь они же опять седые вырастут! Кроме того, мне на службу носа нельзя будет показать, я и так уже третий день не езжу. Приходит машина, я ее отпускаю. Эх, профессор, если бы вы открыли способ, чтобы и волосы омолаживать!

— Не сразу, не сразу, мой дорогой, — бормотал Филипп Филиппович.

Наклоняясь, он блестящими глазками исследовал голый живот пациента:

— Ну, что ж — прелестно, все в полном порядке. Я даже не ожидал, сказать по правде, такого результата. «Много крови, много песен...» Одевайтесь, голубчик!

— «Я же той, кто всех прелестней!..» — дребезжащим, как сковорода, голосом подпел пациент и, сияя, стал одеваться. Приведя себя в порядок, он, подпрыгивая и распространяя запах духов, отсчитал Филиппу Филипповичу пачку белых денег и нежно стал жать ему обе руки.

— Две недели можете не показываться, — сказал Филипп Филиппович, — но все-таки прошу вас: будьте осторожны.

— Профессор, — из-за двери в экстазе воскликнул голос, — будьте совершенно спокойны, — он сладостно хихикнул и пропал.

Рассыпной звоночек пролетел по квартире, лакированная дверь открылась, вошел тяпнутый, вручил Филиппу Филипповичу листок и заявил:

— Годы показаны неправильно. Вероятно, 54—55. Тоны сердца глуховаты.

Он исчез и сменился шуршащей дамой в лихо заломленной набок шляпе и со сверкающим колье на вялой и жеваной шее. Страшные черные мешки сидели у нее под глазами, а щеки были кукольно-румяного цвета.

Она очень сильно волновалась.

— Сударыня! Сколько вам лет? — очень сурово спросил ее Филипп Филиппович.

Дама испугалась и даже побледнела под коркой румян.

— Я, профессор... Клянусь, если бы вы знали, какая у меня драма...

— Лет вам сколько, сударыня? — еще суровее повторил Филипп Филиппович.

— Честное слово... Ну, сорок пять.

— Сударыня, — возопил Филипп Филиппович, — меня ждут. Не задерживайте, пожалуйста. Вы же не одна!

Грудь дамы бурно вздымалась.

— Я вам одному, как светилу науки, но клянусь — это такой ужас...

— Сколько вам лет? — яростно и визгливо спросил Филипп Филиппович, и очки его блеснули.

— Пятьдесят один! — корчась от страху, ответила дама.

— Снимайте штаны, сударыня, — облегченно молвил Филипп Филиппович и указал на высокий белый эшафот в углу.

— Клянусь, профессор, — бормотала дама, дрожащими пальцами расстегивая какие-то кнопки на поясе, — этот Мориц... Я вам признаюсь, как на духу...

— «От Севильи до Гренады...» — рассеянно запел Филипп Филиппович и нажал педаль в мраморном умывальнике. Зашумела вода.

— Богом клянусь! — говорила дама, и живые пятна сквозь искусственные продирались на ее щеках, — я знаю, что это моя последняя страсть. Ведь это такой негодяй! О, профессор! Он — карточный шулер, это знает вся Москва. Он не может пропустить ни одной гнусной модистки. Ведь он так дьявольски молод! — Дама бормотала и выбрасывала из-под шумящих юбок скомканный кружевной клок.

Пес совершенно затуманился, и все в голове пошло у него кверху ногами.

«Ну вас к черту, — мутно подумал он, положив голову на лапы, и задремал от стыда, — и стараться не буду понять, что это за штука, — все равно не пойму».

Очнулся он от звона и увидел, что Филипп Филиппович швырнул в таз какие-то сияющие трубки.

Пятнистая дама, прижимая руки к груди, с надеждой глядела на Филиппа Филипповича. Тот важно нахмурился и, сев за стол, что-то записал.

— Я вам, сударыня, вставлю яичники обезьяны, — объявил он и посмотрел строго.

— Ах, профессор, неужели обезьяны?

— Да, — непреклонно ответил Филипп Филиппович.

— Когда же операция? — бледная и слабым голосом спрашивала дама.

— «От Севильи до Гренады...» Угум... в понедельник. Ляжете в клинику с утра, мой ассистент приготовит вас.

— Ах, я не хочу в клинику. Нельзя ли у вас, профессор?

— Видите ли, у себя я делаю операции лишь в крайних случаях. Это будет стоить очень дорого — пятьдесят червонцев.

— Я согласна, профессор!

Опять загремела вода, колыхнулась шляпа с перьями, потом появилась какая-то лысая, как тарелка, голова и обняла Филиппа Филипповича. Пес дремал, тошнота прошла, пес наслаждался утихшим боком и теплом, даже всхрапнул, и успел увидать кусочек приятного сна: будто бы он вырвал у совы целый пук перьев из хвоста... потом взволнованный голос тявкнул над головой:

— Я известный общественный деятель, профессор! Что же теперь делать?

— Господа! — возмущенно кричал Филипп Филиппович, — нельзя же так! Нужно сдерживать себя. Сколько ей лет?

— Четырнадцать, профессор... Вы понимаете, огласка погубит меня. На днях я должен получить командировку в Лондон.

— Да ведь я же не юрист, голубчик... Ну, подождите два года и женитесь на ней.

— Женат я, профессор!

— Ах, господа, господа!..

Двери открывались, сменялись лица, гремели инструменты в шкафу, и Филипп Филиппович работал не покладая рук.

«Похабная квартирка, — думал пес, — но до чего хорошо! А на какого черта я ему понадобился? Неужели же жить оставит? Вот чудак? Да ведь ему только глазом мигнуть, он таким бы псом обзавелся, что ахнуть! А может, я и красивый. Видно — мое счастье! А сова эта дрянь... Наглая».

Окончательно пес очнулся глубоким вечером, когда звоночки прекратились, и как раз в то мгновение, когда дверь впустила особенных посетителей. Их было сразу четверо. Все молодые люди, и все одеты очень скромно.

«Этим что нужно?» — неприязненно и удивленно подумал пес. Гораздо более неприязненно встретил гостей Филипп Филиппович. Он стоял у письменного стола и смотрел как полководец на врагов. Ноздри его ястребиного носа раздувались. Вошедшие потоптались на ковре.

— Мы к вам, профессор, — заговорил тот из них, у кого на голове возвышалась на четверть аршина копна густейших вьющихся волос, — вот по какому делу...

— Вы, господа, напрасно ходите без калош в такую погоду, — перебил его наставительно Филипп Филиппович, — во-первых, вы простудитесь, а во-вторых, вы наследили мне на коврах, а все ковры у меня персидские.

Тот, с копной, умолк, и все четверо в изумлении уставились на Филиппа Филипповича. Молчание продолжалось несколько секунд, и прерывал его лишь стук пальцев Филиппа Филипповича по расписному деревянному блюду на столе.

— Во-первых, мы не господа, — молвил наконец самый юный из четверых — персикового вида.

— Во-первых, — перебил и его Филипп Филиппович, — вы мужчина или женщина?

Четверо вновь смолкли и открыли рты. На этот раз опомнился первый, тот, с копной.

— Какая разница, товарищ? — спросил он горделиво.

— Я — женщина, — признался персиковый юноша в кожаной куртке и сильно покраснел. Вслед за ним покраснел почему-то густейшим образом один из вошедших — блондин в папахе.

— В таком случае вы можете оставаться в кепке, а вас, милостивый государь, попрошу снять ваш головной убор, — внушительно сказал Филипп Филиппович.

— Я не «милостивый государь», — смущенно пробормотал блондин, снимая папаху.

— Мы пришли к вам, — вновь начал черный с копной...

— Прежде всего — кто это «мы»?

— Мы — новое домоуправление нашего дома, — в сдержанной ярости заговорил черный. — Я — Швондер, она — Вяземская, он — товарищ Пеструхин и Жаровкин. И вот мы...

— Это вас вселили в квартиру Федора Павловича Саблина?

— Нас, — ответил Швондер.

— Боже! Пропал калабуховский дом! — в отчаянии воскликнул Филипп Филиппович и всплеснул руками.

— Что вы, профессор, смеетесь? — возмутился Швондер.

— Какое там смеюсь! Я в полном отчаянии, — крикнул Филипп Филиппович, — что ж теперь будет с паровым отоплением!

— Вы издеваетесь, профессор Преображенский?

— По какому делу вы пришли ко мне, говорите как можно скорее, я сейчас иду обедать.

— Мы, управление дома, — с ненавистью заговорил Швондер, — пришли к вам после общего собрания жильцов нашего дома, на котором стоял вопрос об уплотнении квартир дома...

— Кто на ком стоял? — крикнул Филипп Филиппович, — потрудитесь излагать ваши мысли яснее.

— Вопрос стоял об уплотнении.

— Довольно! Я понял! Вам известно, что постановлением от двенадцатого сего августа моя квартира освобождена от каких бы то ни было уплотнений и переселений?

— Известно, — ответил Швондер, — но общее собрание, рассмотрев ваш вопрос, пришло к заключению, что в общем и целом вы занимаете чрезмерную площадь. Совершенно чрезмерную. Вы один живете в семи комнатах.

— Я один живу и работаю в семи комнатах, — ответил Филипп Филиппович, — и желал бы иметь восьмую. Она мне необходима под библиотеку.

Четверо онемели.

— Восьмую? Э-хе-хе, — проговорил блондин, лишенный головного убора, — однако это здо-о-рово.

— Это неописуемо! — воскликнул юноша, оказавшийся женщиной.

— У меня приемная, заметьте, она же библиотека, столовая, мой кабинет — три. Смотровая — четыре. Операционная — пять. Моя спальня — шесть и комната прислуги — семь. В общем, мне не хватает... Да впрочем, это неважно. Моя квартира свободна, и разговору конец. Могу я идти обедать?

— Извиняюсь, — сказал четвертый, похожий на крепкого жука.

— Извиняюсь, — перебил его Швондер, — вот именно по поводу столовой и смотровой мы и пришли говорить. Общее собрание просит вас добровольно, в порядке трудовой дисциплины, отказаться от столовой. Столовых ни у кого нет в Москве.

— Даже у Айседоры Дункан! — звонко крикнула женщина.

С Филиппом Филипповичем что-то сделалось, вследствие чего его лицо нежно побагровело, но он не произнес ни одного звука, выжидая, что будет дальше.

— И от смотровой также, — продолжал Швондер, — смотровую прекрасно можно соединить с кабинетом.

— Угу, — молвил Филипп Филиппович каким-то странным голосом, — а где же я должен принимать пищу?

— В спальне, — хором ответили все четверо.

Багровость Филиппа Филипповича приняла несколько сероватый оттенок.

— В спальне принимать пищу, — заговорил он слегка придушенным голосом, — в смотровой — читать, в приемной — одеваться, оперировать — в комнате прислуги, а в столовой — осматривать? Очень возможно, что Айседора Дункан так и делает. Может быть, она в кабинете обедает, а кроликов режет в ванной? Может быть... Но я не Айседора Дункан!! — вдруг рявкнул он, и багровость его стала желтой. — Я буду обедать в столовой, а оперировать в операционной! Передайте это общему собранию, и покорнейше вас прошу вернуться к вашим делам, а мне предоставить возможность принять пищу там, где ее принимают все нормальные люди, то есть в столовой, а не в передней и не в детской.

— Тогда, профессор, ввиду вашего упорного противодействия, — сказал взволнованный Швондер, — мы подадим на вас жалобу в высшие инстанции.

— Ага, — молвил Филипп Филиппович, — так? Голос его принял подозрительно вежливый оттенок, — одну минутку попрошу вас подождать.

«Вот это парень, — в восторге подумал пес, — весь в меня. Ох, тяпнет он их сейчас, ох, тяпнет! Не знаю еще, каким способом, но так тяпнет!.. Бей их! Этого голенастого сейчас взять повыше сапога за подколенное сухожилие... р-р-р...»

Филипп Филиппович, стукнув, снял трубку с телефона и сказал в нее так:

— Пожалуйста... да... благодарю вас... Виталия Александровича попросите, пожалуйста. Профессор Преображенский. Виталий Александрович? Очень рад, что вас застал. Благодарю вас, здоров. Виталий Александрович, ваша операция отменяется. Что? Нет, совсем отменяется. Равно как и все остальные операции. Вот почему: я прекращаю работу в Москве и вообще в России... Сейчас ко мне вошли четверо, из них одна женщина, переодетая мужчиной, и двое вооруженных револьверами, и терроризировали меня в квартире с целью отнять часть ее...

— Позвольте, профессор, — начал Швондер, меняясь в лице.

— Извините... У меня нет возможности повторить все, что они говорили. Я не охотник до бессмыслиц. Достаточно сказать, что они предложили мне отказаться от моей смотровой, другими словами, поставили меня в необходимость оперировать вас там, где я до сих пор резал кроликов. В таких условиях я не только не могу, но и не имею права работать. Поэтому я прекращаю деятельность, закрываю квартиру и уезжаю в Сочи. Ключ могу передать Швондеру — пусть он оперирует.

Четверо застыли. Снег таял у них на сапогах.

— Что же делать... Мне самому очень неприятно... Как? О, нет, Виталий Александрович! О, нет. Больше я так не согласен. Терпение мое лопнуло. Это уже второй случай с августа месяца... Как? Гм... Как угодно. Хотя бы. Но только одно условие: кем угодно, что угодно, когда угодно, но чтобы эта была такая бумажка, при наличности которой ни Швондер, ни кто-либо иной не мог бы даже подойти к двери моей квартиры. Окончательная бумажка. Фактическая. Настоящая. Броня. Чтобы мое имя даже не упоминалось. Конечно. Я для них умер. Да, да. Пожалуйста. Кем? Ага... Ну, это другое дело. Ага... Хорошо. Сейчас передаю трубку. Будьте любезны,— змеиным голосом обратился Филипп Филиппович к Швондеру,— сейчас с вами будут говорить.

— Позвольте, профессор, — сказал Швондер, то вспыхивая, то угасая, — вы извратили наши слова.

— Попрошу вас не употреблять таких выражений.

Швондер растерянно взял трубку и молвил:

— Я слушаю. Да... Председатель домкома... Мы же действовали по правилам... Так у профессора и так совершенно исключительное положение. Мы знаем об его работах... Целых пять комнат хотели оставить ему... Ну, хорошо... Раз так... Хорошо...

Совершенно красный, он повесил трубку и повернулся.

«Как оплевал! Ну и парень! — восхищенно подумал пес, — что он, слово, что ли, такое знает? Ну, теперь можете меня бить, как хотите, а отсюда я не уйду!»

Трое, открыв рты, смотрели на оплеванного Швондера.

— Это какой-то позор, — несмело вымолвил тот.

— Если бы сейчас была дискуссия, — начала женщина, волнуясь и загораясь румянцем, — я бы доказала Виталию Александровичу...

— Виноват, вы не сию минуту хотите открыть эту дискуссию? — вежливо спросил Филипп Филиппович.

Глаза женщины загорелись.

— Я понимаю вашу иронию, профессор, мы сейчас уйдем... Только... Я, как заведующий культотделом дома...

— За-ве-дующая, — поправил ее Филипп Филиппович.

— Хочу предложить вам, — тут женщина из-за пазухи вытащила несколько ярких и мокрых от снега журналов, — взять несколько журналов в пользу детей Франции. По полтиннику штука.

— Нет, не возьму, — кратко ответил Филипп Филиппович, покосившись на журналы.

Совершенное изумление выразилось на лицах, а женщина покрылась клюквенным налетом.

— Почему же вы отказываетесь?

— Не хочу.

— Вы не сочувствуете детям Франции?

— Нет, сочувствую.

— Жалеете по полтиннику?

— Нет.

— Так почему же?

— Не хочу.

Помолчали.

— Знаете ли, профессор, — заговорила девушка, тяжело вздохнув, — если бы вы не были европейским светилом и за вас не заступались бы самым возмутительным образом (блондин дернул ее за край куртки, но она отмахнулась) лица, которых, я уверена, мы еще разъясним, вас следовало бы арестовать!

— А за что? — с любопытством спросил Филипп Филиппович.

— Вы ненавистник пролетариата, — гордо сказала женщина.

— Да, я не люблю пролетариата, — печально согласился Филипп Филиппович и нажал кнопку. Где-то прозвенело. Открылась дверь в коридор.

— Зина, — крикнул Филипп Филиппович, — подавай обед. Вы позволите, господа?

Четверо молча вышли из кабинета, молча прошли приемную, молча — переднюю, и за ними, слышно было, как закрылась тяжело и звучно парадная дверь.

Пес встал на задние лапы и сотворил перед Филиппом Филипповичем какой-то намаз.

III

На разрисованных райскими цветами тарелках с черною широкой каймою лежала тонкими ломтиками нарезанная семга, маринованные угри. На тяжелой доске кусок сыру в слезах и в серебряной кадушке, обложенной снегом, — икра. Меж тарелками несколько тоненьких рюмочек и три хрустальных графинчика с разноцветными водками. Все эти предметы помещались на маленьком мраморном столике, уютно присоединившемся у громадного резного дуба буфета, изрыгавшего пучки стеклянного и серебряного света. Посредине комнаты — тяжелый, как гробница, стол, накрытый белой скатертью, а на ней два прибора, салфетки, свернутые в виде папских тиар, и три темных бутылки.

Зина внесла серебряное крытое блюдо, в котором что-то ворчало. Запах от блюда шел такой, что рот пса немедленно наполнился жидкой слюной. «Сады

Семирамиды!» — подумал он и застучал как палкой по паркету хвостом.

— Сюда их! — хищно скомандовал Филипп Филиппович.— Доктор Борменталь, умоляю вас, оставьте икру в покое! И если хотите послушаться доброго совета, налейте не английской, а обыкновенной русской водки.

Красавец — тяпнутый — он был уже без халата, в приличном черном костюме — передернул широкими плечами, вежливо ухмыльнулся и налил прозрачной.

— Новоблагословенная? — осведомился он.

— Бог с вами, голубчик, — отозвался хозяин.— Это спирт. Дарья Петровна сама отлично готовит водку.

— Не скажите, Филипп Филиппович, все утверждают, что очень приличная, тридцать градусов.

— А водка должна быть в 40 градусов, а не в 30, это во-первых, — наставительно перебил Филипп Филиппович, — а во-вторых, Бог их знает, чего они туда плеснули. Вы можете сказать, что им придет в голову?

— Все, что угодно, — уверенно молвил тяпнутый.

— И я того же мнения, — добавил Филипп Филиппович и вышвырнул одним комком содержимое рюмки себе в горло, — э... м-м... доктор Борменталь, умоляю вас: мгновенно эту штучку, и если вы скажете, что это плохо, я ваш кровный враг на всю жизнь. «От Севильи до Гренады...»

Сам он с этими словами подцепил на лапчатую серебряную вилку что-то похожее на маленький темный хлебик. Укушенный последовал его примеру. Глаза Филиппа Филипповича засветились.

— Это плохо? — жуя, спрашивал Филипп Филиппович.— Плохо? Вы ответьте, уважаемый доктор.

— Это бесподобно, — искренно ответил тяпнутый.

— Еще бы... Заметьте, Иван Арнольдович, холодными закусками и супом закусывают только недорезанные большевиками помещики. Мало-мальски уважающий себя человек оперирует с закусками горячими. А из горячих московских закусок это — первая. Когда-то их великолепно приготовляли в Славянском Базаре. На, получай.

— Пса в столовой прикармливаете,— раздался женский голос,— а потом его отсюда калачом не выманишь.

— Ничего... Он, бедняга, наголодался, — Филипп Филиппович на конце вилки подал псу закуску, принятую тем с фокусной ловкостью, и вилку с грохотом свалил в полоскательницу.

Засим от тарелок поднимался пахнущий раками пар, пес сидел в тени скатерти с видом часового у порохового магазина, а Филипп Филиппович, заложив хвост тугой салфетки за воротничок, проповедовал:

— Еда, Иван Арнольдович, штука хитрая. Есть нужно уметь, и, представьте, большинство людей вовсе есть не умеет. Нужно не только знать — что съесть, но и когда и как! (Филипп Филиппович многозначительно потряс ложкой.) — И что при этом говорить — да-с. Если вы заботитесь о своем пищеварении, вот добрый совет — не говорите за обедом о большевизме и о медицине. И, Боже вас сохрани, — не читайте до обеда советских газет!

— Гм... Да ведь других же нет.

— Вот никаких и не читайте. Вы знаете, я произвел тридцать наблюдений у себя в клинике. И что же вы думаете? Пациенты, не читающие газет, чувствовали себя превосходно. Те же, которых я специально заставлял читать «Правду», — теряли в весе!

— Гм?..— с интересом отозвался тяпнутый, розовея от супа и вина.

— Мало этого! Пониженные коленные рефлексы, скверный аппетит, угнетенное состояние духа.

— Вот черт!..

— Да-с. Впрочем, что ж это я? Сам же заговорил о медицине. Будемте лучше есть.

Филипп Филиппович, откинувшись, позвонил, и в вишневой портьере появилась Зина. Псу достался бледный и толстый кусок осетрины, которая ему не понравилась, а непосредственно за этим ломоть окровавленного ростбифа. Слопав его, пес вдруг почувствовал, что он хочет спать и больше не может видеть никакой еды. «Странное ощущение, — думал он, захлопывая отяжелевшие веки, — глаза бы мои не смотрели ни на какую пищу. А курить после обеда — это глупость».

Столовая наполнилась неприятным синим сигарным дымом. Пес дремал, уложив голову на передние лапы.

— «Сен-Жюльен» — приличное вино, — сквозь сон слышал пес, — но только ведь теперь же его нету.

Глухой, смягченный потолками и коврами хорал донесся откуда-то сверху и сбоку.

Филипп Филиппович позвонил, и пришла Зина.

— Зинушка, что это такое означает?

— Опять общее собрание сделали, Филипп Филиппович, — ответила Зина.

— Опять! — горестно воскликнул Филипп Филиппович, — ну, теперь, стало быть, пошло! Пропал калабуховский дом! Придется уезжать, но куда, спрашивается? Все будет как по маслу. Вначале каждый вечер пение, затем в сортирах замерзнут трубы, потом лопнет котел в паровом отоплении и так далее. Крышка Калабухову!

— Убивается Филипп Филиппович, — заметила, улыбаясь, Зина и унесла груду тарелок.

— Да ведь как не убиваться! — возопил Филипп Филиппович, — ведь это какой дом был! Вы поймите!

— Вы слишком мрачно смотрите на вещи, Филипп Филиппович, — возразил красавец тяпнутый, — они теперь резко изменились.

— Голубчик, вы меня знаете? Не правда ли? Я — человек фактов, человек наблюдения. Я — враг необоснованных гипотез. И это очень хорошо известно не только в России, но и в Европе. Если я что-нибудь говорю, значит, в основе лежит некий факт, из которого я делаю вывод. И вот вам факт: вешалки и калошная стойка в нашем доме.

— Это интересно...

«Ерунда — калоши. Не в калошах счастье, — думал пес, — но личность выдающаяся».

— Не угодно ли — калошная стойка. С 1903 года я живу в этом доме. И вот, в течение этого времени, до апреля 1917 года не было ни одного случая, подчеркиваю красным карандашом — н и о д н о г о!.. чтобы из нашего парадного внизу при общей незапертой двери пропала бы хоть одна пара калош. Заметьте, здесь двенадцать квартир, у меня прием. В апреле 17-го года в один прекрасный день пропали все калоши, в том числе две пары моих, три палки, пальто и самовар у швейцара. И с тех пор калошная стойка прекратила свое существование. Голубчик! Я не говорю уже о паровом отоплении! Не говорю! Пусть: раз социальная революция — не нужно топить. Хотя когда-нибудь, если будет свободное время, я займусь исследованием мозга и докажу, что вся эта социальная кутерьма просто-напросто больной бред... Так я говорю: почему, когда началась вся эта история, все стали ходить в грязных калошах и валенках по мраморной лестнице? Почему калоши до сих пор нужно запирать под замок и еще приставлять к ним солдата, чтобы кто-либо их не стащил? Почему убрали ковер с парадной лестницы? Разве Карл Маркс запрещает держать на лестнице ковры? Где-нибудь у Карла Маркса сказано, что 2-й подъезд калабуховского дома на Пречистенке следует забить досками и ходить кругом через черный двор? Кому это нужно? Угнетенным неграм? Или португальским рабочим? Почему пролетарий не может оставить свои калоши внизу, а пачкает мрамор?

— Да у него ведь, Филипп Филиппович, и вовсе нет калош... — заикнулся было тяпнутый.

— Нич-чего похожего! — громовым голосом ответил Филипп Филиппович и налил стакан вина. — Гм... я не признаю ликеров после обеда: они тяжелят и скверно действуют на печень... Ничего подобного! На нем теперь есть калоши, и эти калоши... мои! Это как раз те самые калоши, которые исчезли 13 апреля 1917 года. Спрашивается, кто их попер? Я? Не может быть! Буржуй Саблин? (Филипп Филиппович ткнул пальцем в потолок.) Смешно даже предположить! Сахарозаводчик Полозов? (Филипп Филиппович указал вбок.) Ни в коем случае! Это сделали вот эти самые певуны! Да-с! Но хоть бы они их снимали на лестнице! (Филипп Филиппович начал багроветь.) На какого черта убрали цветы с площадок? Почему электричество, которое, дай Бог памяти, в течение двадцати лет два раза, в теперешнее время аккуратно гаснет раз в месяц? Доктор Борменталь! Статистика жестокая вещь. Вам, знакомому с моей последней работой, это известно лучше, чем кому бы то ни было другому!

— Разруха, Филипп Филиппович!

— Нет, — совершенно уверенно возразил Филипп Филиппович, — нет. Вы первый, дорогой Иван Арнольдович, воздержитесь от употребления самого этого слова. Это — мираж, дым, фикция! — Филипп Филиппович широко растопырил короткие пальцы, отчего две тени, похожие на черепах, заерзали по скатерти. — Что такое эта ваша «разруха»? Старуха с клюкой? Ведьма, которая выбила все стекла, потушила все лампы? Да ее вовсе не существует! Что вы подразумеваете под этим словом? — яростно спросил Филипп Филиппович у несчастной картонной утки, висящей кверху ногами рядом с буфетом, и сам же ответил за нее: — Это вот что: если я, вместо того чтобы оперировать, каждый вечер начну у себя в квартире петь хором, у меня настанет разруха. Если я, ходя в уборную, начну, извините меня за выражение, мочиться мимо унитаза и то же самое будут делать Зина и Дарья Петровна, в уборной получится разруха. Следовательно, разруха сидит не в клозетах, а в головах. Значит, когда эти баритоны кричат: «Бей разруху!» — я смеюсь. (Лицо Филиппа Филипповича перекосило так, что тяпнутый открыл рот.) — Клянусь вам, мне смешно! Это означает, что каждый из них должен лупить себя по затылку! И вот, когда он вылупит из себя мировую революцию, Энгельса и Николая Романова, угнетенных малайцев и тому подобные галлюцинации, займется чисткой сараев — прямым своим делом, — разруха исчезнет сама собой. Двум богам нельзя служить! Невозможно в одно и то же время подметать трамвайные пути и устраивать судьбы каких-то испанских оборванцев! Это никому не удастся, доктор, и тем более — людям, которые вообще, отстав в развитии от европейцев лет на двести, до сих пор еще не совсем уверенно застегивают свои собственные штаны!

Филипп Филиппович вошел в азарт. Ястребиные ноздри его раздувались. Набравшись сил после сытного обеда, гремел он подобно древнему пророку, и голова его сверкала серебром.

Его слова на сонного пса падали, точно глухой подземный гул. То сова с глупыми желтыми глазами выскакивала в сонном видении, то гнусная рожа палача в белом грязном колпаке, то лихой ус Филиппа Филипповича, освещенный резким электричеством из абажура, то сонные сани скрипели и пропадали, а в собачьем желудке варился, плавая в соку, истерзанный кусок ростбифа.

«Он бы прямо на митингах мог деньги зарабатывать, — мутно мечтал пес, — первоклассный деляга. Впрочем, у него и так, по-видимому, денег куры не клюют...»

— Городовой! — кричал Филипп Филиппович.— Городовой!! — «Угу-гу-гу!» — какие-то пузыри лопались в мозгу пса...— Городовой! Это и только это! И совершенно неважно — будет ли он с бляхой или же в красном кэпи. Поставить городового рядом с каждым человеком и заставить этого городового умерить вокальные порывы наших граждан. Вы говорите — разруха! Я вам скажу, доктор, что ничто не изменится к лучшему в нашем доме, да и во всяком другом доме, до тех пор, пока не усмирите этих певцов! Лишь только они прекратят свои концерты, положение само собой изменится к лучшему!

— Контрреволюционные вещи вы говорите, Филипп Филиппович, — шутливо заметил тяпнутый, — не дай Бог вас кто-нибудь услышит!

— Ничего опасного! — с жаром возразил Филипп Филиппович.— Никакой контрреволюции! Кстати, вот еще слово, которое я совершенно не выношу! Абсолютно неизвестно, что под ним скрывается! Черт его знает! Так я говорю: никакой этой самой контрреволюции в моих словах нет. В них лишь здравый смысл и жизненная опытность...

Тут Филипп Филиппович вынул из-за воротничка хвост блестящей изломанной салфетки и, скомкав, положил ее рядом с недопитым стаканом красного вина. Укушенный тотчас поднялся и поблагодарил: «Mersi».

— Минутку, доктор, — приостановил его Филипп Филиппович, вынимая из кармана брюк бумажник. Он прищурился, отсчитал белые бумажки и протянул их укушенному со словами: — Сегодня вам, Иван Арнольдович, сорок рублей причитается. Прошу!

Пострадавший от пса вежливо поблагодарил и, краснея, засунул деньги в карман пиджака.

— Я сегодня вечером не нужен вам, Филипп Филиппович? — осведомился он.

— Нет, благодарю вас, голубчик. Ничего делать сегодня не будем. Во-первых, кролик издох, а во-вторых, сегодня в Большом — «Аида». А я давно не слышал. Люблю... Помните дуэт... Тара-ра-рим...

— Как это вы успеваете, Филипп Филиппович? — с уважением спросил врач.

— Успевает всюду тот, кто никуда не торопится, — назидательно объяснил хозяин. — Конечно, если бы я начал прыгать по заседаниям и распевать целый день, как соловей, вместо того чтобы заниматься прямым своим делом, я бы никуда не поспел, — под пальцами Филиппа Филипповича в кармане небесно заиграл репетир, — начало девятого... Ко второму акту приеду... Я сторонник разделения труда. В Большом пусть поют, а я буду оперировать. Вот и хорошо, и никаких разрух... Вот что, Иван Арнольдович, вы все же следите внимательно: как только подходящая смерть, тотчас со стола — в питательную жидкость и ко мне!

— Не беспокойтесь, Филипп Филиппович, — патологоанатомы мне обещали.

— Отлично. А мы пока этого уличного неврастеника понаблюдаем, обмоем. Пусть бок у него заживет...

«Обо мне заботится, — подумал пес, — очень хороший человек. Я знаю, кто это! Он — добрый волшебник, маг и кудесник из собачьей сказки... Ведь не может же быть, чтобы все это я видел во сне? А вдруг — сон? (Пес во сне дрогнул.) Вот проснусь... и ничего нет. Ни лампы в шелку, ни тепла, ни сытости. Опять начнется подворотня, безумная стужа, оледеневший асфальт, голод, злые люди... Столовка, снег... Боже, как тяжело мне будет!..»

IV

Но ничего этого не случилось. Именно подворотня растаяла, как мерзкое сновидение, и более не вернулась.

Видно, уж не так страшна разруха! Невзирая на нее, дважды в день, серые гармоники под подоконниками наливались жаром, и тепло волнами расходилось по всей квартире.

Совершенно ясно: пес вытащил самый главный собачий билет. Глаза его теперь не менее двух раз в день заливались благодарными слезами по адресу пречистенского мудреца. Кроме того, все трюмо в гостинной-приемной между шкалами отражали удачливого красавца пса.

«Я — красавец. Быть может, неизвестный собачий принц-инкогнито, — размышлял пес, глядя на лохматого кофейного пса с довольной мордой, разгуливающего в зеркальных далях. — Очень возможно, что бабушка моя согрешила с водолазом. То-то я смотрю, у меня на морде белое пятно. Откуда оно, спрашивается. Филипп Филиппович — человек с большим вкусом, не возьмет он первого попавшегося пса-дворника...»

В течение недели пес сожрал столько же, сколько в полтора последних голодных месяца на улице. Но, конечно, только по весу. О качестве еды у Филиппа Филипповича и говорить не приходилось. Если даже не принимать во внимание того, что ежедневно Дарьей Петровной закупалась груда обрезков на Смоленском рынке на 18 копеек, достаточно упомянуть обеды в 7 часов вечера в столовой, на которых пес присутствовал, несмотря на протест изящной Зины. Во время этих обедов Филипп Филиппович окончательно получил звание божества. Пес становился на задние лапы и жевал пиджак, пес изучил звонок Филиппа Филипповича — два полнозвучных отрывистых хозяйских удара, и вылетал с лаем встречать его в передней. Хозяин вваливался в черно-бурой лисе, сверкая миллионом снежных блесток, пахнущий мандаринами, сигарами, духами, лимонами, бензином, одеколоном, сукном, и голос его, как командная труба, разносился по всему жилищу:

— Зачем ты, свинья, сову разорвал? Она тебе мешала? Мешала, я тебя спрашиваю? Зачем профессора Мечникова разбил?

— Его, Филипп Филиппович, нужно хлыстом отодрать хоть один раз, — возмущенно говорила Зина, — а то он совершенно избалуется. Вы поглядите, что он с вашими калошами сделал!

— Никого драть нельзя, — волновался Филипп Филиппович, — запомни это раз навсегда! На человека и на животное можно действовать только внушением! Мясо ему давали сегодня?

— Господи, он весь дом обожрал! Что вы спрашиваете, Филипп Филиппович? Я удивляюсь — как он не лопнет!

— Ну и пусть ест на здоровье!.. Чем тебе помешала сова, хулиган?!

— У-у! — скулил пес-подлиза и полз на брюхе, вывернув лапы.

Затем его с гвалтом волокли за шиворот через приемную в кабинет. Пес подвывал, огрызался, цеплялся за ковер, ехал на заду, как в цирке. Посредине кабинета на ковре лежала стеклянноглазая сова с распоротым животом, из которого торчали какие-то красные тряпки, пахнущие нафталином. На столе валялся вдребезги разбитый портрет.

— Я нарочно не убирала, чтобы вы полюбовались, — расстроенно докладывала Зина, — ведь на стол вскочил, какой мерзавец! И за хвост ее — цап! Я опомниться не успела, как он ее всю истерзал! Мордой его потычьте, Филипп Филиппович, в сову, чтобы он знал, как вещи портить!

И начинался вой. Пса, прилипшего к ковру, тащили тыкать в сову, причем пес заливался горькими слезами и думал: «Бейте, только из квартиры не выгоняйте!»

— Сову чучельнику отправить сегодня же. Кроме того, вот тебе восемь рублей и шестнадцать копеек на трамвай, съезди к Мюру, купи ему хороший ошейник с цепью.

На следующий день на пса надели широкий блестящий ошейник. В первый момент, поглядевшись в зеркало, он очень расстроился, поджал хвост и ушел в ванную комнату, размышляя — как бы ободрать его о сундук или ящик. Но очень скоро он понял, что он просто — дурак. Зина повела его гулять на цепи. По Обухову переулку пес шел, как арестант, сгорая от стыда, но, пройдя по Пречистенке до Храма Христа, отлично сообразил, что значит в жизни ошейник. Бешеная зависть читалась в глазах у всех встречных псов, а у Мертвого переулка какой-то долговязый с обрубленным хвостом дворняга облаял его «барской сволочью» и «шестеркой». Когда пересекали трамвайные рельсы, милиционер поглядел на ошейник с удовольствием и уважением, а когда вернулись, произошло самое невиданное в жизни: Федор-швейцар собственноручно отпер переднюю дверь и впустил Шарика. Зине он при этом заметил:

— Ишь, каким лохматым обзавелся Филипп Филиппович. И удивительно жирный.

— Еще бы. За шестерых лопает, — пояснила румяная и красивая от мороза Зина.

«Ошейник — все равно что портфель», — сострил мысленно пес и, виляя задом, последовал в бельэтаж, как барин.

Оценив ошейник по достоинству, пес сделал первый визит в то главное отделение рая, куда до сих пор вход ему был категорически запрещен, — именно в царство поварихи Дарьи Петровны. Вся квартира не стоила и двух пядей Дарьиного царства. Всякий день в черной и сверху облицованной кафелем плите стреляло и бушевало пламя. Духовой шкаф потрескивал. В багровых столбах горело вечною огненной мукой и неутоленной страстью лицо Дарьи Петровны. Оно лоснилось и отливало жиром. В модной прическе на уши и с корзинкой светлых волос на затылке светились двадцать два поддельных бриллианта. По стенам на крюках висели золотые кастрюли, вся кухня громыхала запахами, клокотала и шипела в закрытых сосудах...

— Вон! — завопила Дарья Петровна. — Вон, беспризорный карманник! Тебя тут не хватало, я тебя кочергой...

«Чего ты! Ну, чего лаешься? — умильно щурил глаза пес. — Какой же я карманник? Ошейник вы разве не замечаете?» — и он боком лез в дверь, просовывая в нее морду.

Шарик-пес обладал каким-то секретом покорять сердца людей. Через два дня он уже лежал рядом с корзиной углей и смотрел, как работает Дарья Петровна. Острым и узким ножом она отрубала беспомощным рябчикам головы и лапки, затем, как яростный палач, с костей сдирала мякоть, из кур вырывала внутренности, что-то вертела в мясорубке. Шарик в это время терзал рябчикову голову. Из миски с молоком Дарья Петровна вытаскивала куски размокшей булки, смешивала их на доске с мясною кашицей, заливала все это сливками, посыпала солью и на доске лепила котлеты. В плите гудело, как на пожаре, а на сковородке ворчало, пузырилось и прыгало. Заслонка с громом отпрыгивала, обнаруживала страшный ад. Клокотало, лилось...

Вечером потухала каменная пасть, в окне кухни, над белой половинной занавесочкой стояла густая и важная пречистенская ночь с одинокой звездой. В кухне было сыро на полу, кастрюли сияли таинственно и тускло, на столе лежала пожарная фуражка. Шарик лежал на теплой плите, как лев на воротах, и, задрав от любопытства одно ухо, глядел, как черноусый и взволнованный человек в широком кожаном поясе, за полуприкрытой дверью в комнате Зины и Дарьи Петровны, обнимал Дарью Петровну. Лицо у той горело мукой и страстью, все, кроме мертвенного напудренного носа. Щель света лежала на портрете черноусого, и пасхальный розан свисал с него.

— Как демон пристал, — бормотала в полумраке Дарья Петровна, — отстань. Зина сейчас придет. Что ты, чисто тебя тоже омолодили?

— Нам ни к чему, — плохо владея собой и хрипло отвечал черноусый. — До чего вы огненная...

Вечерами пречистенская звезда скрывалась за тяжкими шторами, и, если в Большом театре не было «Аиды» и не было заседания Всероссийского хирургического общества, божество помещалось в кресле. Огней под потолком не было, горела только одна зеленая лампа на столе. Шарик лежал на ковре в тени и, не отрываясь, глядел на ужасные дела. В отвратительной едкой и мутной жиже в стеклянных сосудах лежали человеческие мозги. Руки божества, обнаженные по локоть, были в рыжих резиновых перчатках, и скользкие тупые пальцы копошились в извилинах. Временами божество вооружалось маленьким сверкающим ножиком и тихонько резало желтые упругие мозги.

— «К берегам священным Нила», — тихонько напевало божество, закусывая губы и вспоминая золотую внутренность Большого театра. Трубы в этот час нагревались до высшей точки. Тепло от них поднималось к потолку, оттуда расходилось по всей комнате, в песьей шкуре оживала последняя, еще не вычесанная самим Филиппом Филипповичем, но уже обреченная блоха. Ковры глушили звуки в квартире. А потом далеко звенела выходная дверь.

«Зинка в кинематограф пошла, — думал пес, — а как придет, ужинать, стало быть, будем. На ужин, надо полагать, телячьи отбивные».

И вот, в этот ужасный день, еще утром Шарика кольнуло предчувствие. Вследствие этого он вдруг заскучал в утренний завтрак — полчашки овсянки и вчерашнюю баранью косточку — съел без всякого аппетита. Он скучно прошелся в приемную и легонько подвыл там на собственное отражение. Но днем, после того как Зина сводила его погулять на бульвар, день пошел как обычно. Приема сегодня не было, потому, как известно, во вторник приема не бывает, и божество сидело в кабинете, развернув на столе какие-то тяжелые книги с пестрыми картинками. Ждали обеда. Пса несколько оживила мысль о том, что сегодня на третье блюдо, как он точно узнал на кухне, будет индейка. Проходя по коридору, пес услышал, как в кабинете Филиппа Филипповича неприятно и неожиданно прозвенел телефон. Филипп Филиппович взял трубку, прислушался и вдруг взволновался.

— Отлично! — послышался его голос, — сейчас же везите, сейчас же!

Он засуетился, позвонил и вошедшей Зине приказал срочно подавать обед.

— Обед! Обед! Обед!

В столовой тотчас застучали тарелками. Зина забегала, из кухни послышалась воркотня Дарьи Петровны, что индейка не готова. Пес опять почувствовал волнение.

«Не люблю кутерьмы в квартире», — раздумывал он... И только что он это подумал, как кутерьма приняла еще более неприятный характер. И прежде всего благодаря появлению тяпнутого некогда доктора Борменталя. Тот привез с собой дурно пахнущий чемодан и, даже не раздеваясь, устремился с ним через коридор в смотровую. Филипп Филиппович бросил недопитую чашку кофе, чего с ним никогда не случалось, и выбежал навстречу доктору Борменталю, чего с ним тоже никогда не бывало.

— Когда умер? — закричал он.

— Три часа назад, — ответил Борменталь, не снимая заснеженной шапки и расстегивая чемодан.

«Кто такое умер? — хмуро и недовольно подумал пес и сунулся под ноги, — терпеть не могу, когда мечутся».

— Уйди из-под ног! Скорей, скорей, скорей! — закричал Филипп Филиппович на все стороны и стал звонить во все звонки, как показалось псу.

Прибежала Зина.

— Зина! К телефону Дарью Петровну, записывать, никого не принимать! Ты нужна. Доктор Борменталь, умоляю вас — скорей, скорей, скорей!

«Не нравится мне. Не нравится», — пес обиженно нахмурился и стал шляться по квартире, а вся суета сосредоточилась в смотровой. Зина оказалась неожиданно в халате, похожем на саван, и начала летать из смотровой в кухню и обратно.

«Пойти, что ль, пожрать? Ну их в болото», — решил пес и вдруг получил сюрприз.

— Шарику ничего не давать! — загремела команда из смотровой.

— Усмотришь за ним, как же.

— Запереть!

И Шарика заманили и заперли в ванной.

«Хамство, — подумал Шарик, сидя в полутемной ванной комнате, — просто глупо...»

И около четверти часа он пробыл в ванной в странном настроении духа — то в злобе, то в каком-то тяжелом упадке. Все было скучно, неясно...

«Ладно, будете вы иметь калоши завтра, многоуважаемый Филипп Филиппович, — думал он, — две пары уже пришлось прикупить, и еще одну купите. Чтоб вы псов не запирали».

Но вдруг его яростную мысль перебило. Внезапно и ясно почему-то вспомнился кусок самой ранней юности — солнечный необъятный двор у Преображенской заставы, осколки солнца в бутылках, битый кирпич, вольные псы-побродяги.

«Нет, куда уж, ни на какую волю отсюда не уйдешь, зачем лгать, — тосковал пес, сопя носом, — привык.

Я, барский пес, интеллигентное существо, отведал лучшей жизни. Да и что такое воля? Так, дым, мираж, фикция... Бред этих злосчастных демократов...»

Потом полутьма ванной стала страшной, он завыл, бросился на дверь, стал царапаться.

— У-у-у! — как в бочку пролетело по квартире.

«Сову раздеру опять», — бешено, но бессильно подумал пес. Затем ослаб, полежал, а когда поднялся, шерсть на нем стала вдруг дыбом, почему-то в ванне померещились отвратительные волчьи глаза...

И в разгар муки дверь открыли. Пес вышел, отряхнувшись, и угрюмо собрался в кухню, но Зина за ошейник настойчиво повлекла его в смотровую. Холодок прошел у пса под сердцем.

«Зачем же я понадобился? — подумал он подозрительно. — Бок зажил, ничего не понимаю».

И он поехал лапами по скользкому паркету, и так был привезен в смотровую. В ней сразу поразило невиданное освещение. Белый шар под потолком сиял до того, что резало глаза. В белом сиянии стоял жрец и сквозь зубы напевал про священные берега Нила. Только по смутному запаху можно было узнать, что это Филипп Филиппович. Подстриженная его седина скрывалась под белым колпаком, напоминающим патриаршую скуфейку. Жрец был весь в белом, а поверх белого, как эпитрахиль, был надет резиновый узкий фартук. Руки — в черных перчатках.

В скуфейке оказался и тяпнутый. Длинный стол был раскинут, а сбоку придвинули маленький, четырехугольный, на блестящей ноге.

Пес здесь возненавидел больше всего тяпнутого и больше всего за его сегодняшние глаза. Обычно смелые и прямые, ныне они бегали во все стороны от песьих глаз. Они были настороженные, фальшивые, и в глубине их таилось нехорошее, пакостное дело, если не целое преступление. Пес глянул на него тяжело и пасмурно, ушел в угол.

— Ошейник, Зина, — негромко молвил Филипп Филиппович, — только не волнуй его.

У Зины мгновенно стали такие же мерзкие глаза, как у тяпнутого. Она подошла к псу и явно фальшиво погладила его. Тот с тоскою и презрением поглядел на нее.

«Что ж... вас трое. Возьмите, если захотите... Только стыдно вам... Хоть бы я знал, что будете делать со мной?..»

Зина отстегнула ошейник, пес помотал головой, фыркнул. Тяпнутый вырос перед ним, и скверный мутящий запах разлился от него.

«Фу, гадость... Отчего мне так мутно и страшно?» — подумал пес и попятился от тяпнутого.

— Скорее, доктор, — нетерпеливо молвил Филипп Филиппович.

Резко и сладко пахнуло в воздухе. Тяпнутый, не сводя с пса настороженных дрянных глаз, высунул из-за спины правую руку и быстро ткнул псу в нос ком влажной ваты. Шарик оторопел, в голове у него легонько закружилось, но он успел еще отпрянуть. Тяпнутый прыгнул за ним и вдруг залепил всю морду ватой. Тотчас же заперло дыхание, но еще раз пес успел вырваться. «Злодей... — мелькнуло в голове. — За что?» И еще раз облепили. Тут неожиданно посреди смотровой представилось озеро, а на нем в лодках очень веселые загробные, небывалые розовые псы. Ноги лишились костей и согнулись.

— На стол! — веселым голосом бухнули где-то слова Филиппа Филипповича и расплылись в оранжевых струях. Ужас исчез, сменился радостью. Секунды две угасающий пес любил тяпнутого. Затем весь мир перевернулся дном кверху и была еще почувствована холодная, но приятная рука под животом. Потом — ничего.

На узком операционном столе лежал, раскинувшись, пес Шарик, и голова его беспомощно колотилась о белую клеенчатую подушку. Живот его был выстрижен, и теперь доктор Борменталь, тяжело дыша и спеша, машинкой въедаясь в шерсть, стриг голову Шарика. Филипп Филиппович, опершись ладонями на край стола, блестящими, как золотые обода его очков, глазками наблюдал за этой процедурой и говорил взволнованно:

— Иван Арнольдович, самый важный момент — когда я войду в турецкое седло. Мгновенно, умоляю вас, подайте отросток и тут же шить. Если там у меня начнет кровить, потеряем время и пса потеряем. Впрочем, для него и так никакого шанса нету.— Он помолчал, прищуря глаз, заглянул как бы насмешливо в полуприкрытый спящий глаз пса и добавил: — А знаете, жалко его. Представьте, я привык к нему.

Руки он вздымал в это время, как будто благословлял на трудный подвиг злосчастного пса Шарика. Он старался, чтобы ни одна пылинка не села на черную резину.

Из-под выстриженной шерсти засверкала беловатая кожа собаки. Борменталь отшвырнул машинку и вооружился бритвой. Он намылил беспомощную маленькую голову и стал брить. Сильно хрустело под лезвием, кой-где выступила кровь. Обрив голову, тяпнутый мокрым бензиновым комочком обтер ее, затем оголенный живот пса растянул и молвил, отдуваясь: «Готово».

Зина открыла кран над раковиной, и Борменталь бросился мыть руки. Зина из склянки полила их спиртом.

— Можно мне уйти, Филипп Филиппович? — спросила она, боязливо косясь на обритую голову пса.

— Можешь.

Зина пропала. Борменталь засуетился дальше. Легкими марлевыми салфеточками он обложил голову Шарика, и тогда на подушке оказался никем не виданный лысый песий череп и странная бородатая морда.

Тут шевельнулся жрец. Он выпрямился, глянул на собачью голову и сказал:

— Ну, Господи благослови. Нож!

Борменталь из сверкающей груды на столике вынул маленький брюхатый ножик и подал его жрецу. Затем он облёкся в такие же черные перчатки, как и жрец.

— Спит? — спросил Филипп Филиппович.

— Хорошо спит.

Зубы Филиппа Филипповича сжались, глазки приобрели остренький колючий блеск, и, взмахнув ножичком, он метко и длинно протянул по животу Шарика рану. Кожа тотчас разошлась, и из нее брызнула кровь в разные стороны. Борменталь набросился хищно, стал комьями марли давить Шарикову рану, затем маленькими, как бы сахарными щипчиками зажал ее края, и она высохла. На лбу у Борменталя пузырьками выступил пот. Филипп Филиппович полоснул второй раз, и тело Шарика вдвоем начали разрывать крючьями, ножницами, какими-то скобками. Выскочили розовые и желтые, плачущие кровавой росою ткани. Филипп Филиппович вертел ножом в теле, потом крикнул: «Ножницы!»

Инструмент мелькнул в руках у тяпнутого, как у фокусника. Филипп Филиппович залез в глубину и в несколько поворотов вырвал из тела Шарика его семенные железы с какими-то обрывками. Борменталь, совершенно мокрый от усердия и волнения, бросился к стеклянной банке и извлек из нее другие, мокрые, обвисшие семенные железы. В руках у профессора и ассистента запрыгали, завились короткие влажные струны. Дробно защелкали кривые иглы в зажимах. Семенные железы вшили на место Шариковых. Жрец отвалился от раны, ткнул в нее комком марли и скомандовал:

— Шейте, доктор, мгновенно кожу!

Затем оглянулся на круглые белые стенные часы.

— Четырнадцать минут делали,— сквозь стиснутые зубы пропустил Борменталь и кривой иголкой впился в дряблую кожу.

Затем оба заволновались, как убийцы, которые спешат.

— Нож! — крикнул Филипп Филиппович.

Нож вскочил ему в руки как бы сам собой, после чего лицо Филиппа Филипповича стало страшным. Он оскалил фарфоровые и золотые коронки и одним приемом навел на лбу Шарика красный венец. Кожу с бритыми волосами откинули как скальп, обнажили костяной череп. Филипп Филиппович крикнул:

— Трепан!

Борменталь подал ему блестящий коловорот. Кусая губу, Филипп Филиппович начал втыкать коловорот и высверливать в черепе Шарика маленькие дырочки в сантиметре расстояния одна от другой так, что они шли кругом всего черепа. На каждую он тратил не более пяти секунд. Потом пилой невиданного фасона, всунув ее хвостик в первую дырочку, начал пилить, как выпиливают дамский рукодельный ящик. Череп тихо визжал и трясся. Минуты через три крышку черепа с Шарика сняли.

Тогда обнажился купол Шарикового мозга — серый с синеватыми прожилками и красноватыми пятнами. Филипп Филиппович въелся ножницами в оболочки и их выкроил. Один раз ударил тонкий фонтан крови, чуть не попал в глаз профессору и окропил его колпак. Борменталь с торзинным пинцетом, как тигр, бросился зажимать и зажал. Пот с Борменталя полз потеками, и лицо его стало мясистым и разноцветным. Глаза его метались от рук Филиппа Филипповича к тарелке на столе. Филипп же Филиппович стал положительно страшен. Сипение вырывалось из его носа, зубы открылись до десен. Он ободрал оболочки с мозга и пошёл куда-то вглубь, выдвигая из вскрытой чаши полушария мозга. И в это время Борменталь начал бледнеть, одною рукой охватил грудь Шарика и хрипловато сказал:

— Пульс резко падает...

Филипп Филиппович зверски оглянулся на него, что-то промычал и врезался еще глубже. Борменталь с хрустом сломал стеклянную ампулку, насосал из нее в шприц и коварно кольнул Шарика где-то у сердца.

— Иду к турецкому седлу, — зарычал Филипп Филиппович и окровавленными скользкими перчатками выдвинул серо-желтый мозг Шарика из головы. На мгновение он скосил глаза на морду Шарика, и Борменталь тотчас же сломал вторую ампулку с желтой жидкостью и вытянул ее в длинный шприц.

— В сердце? — робко спросил он.

— Что вы еще спрашиваете?! — злобно заревел профессор, — все равно он уже пять раз у вас умер. Колите! Разве мыслимо! — Лицо у него при этом стало как у вдохновенного разбойника.

Доктор с размаху легко всадил иглу в сердце пса.

— Живет, но еле-еле, — робко прошептал он.

— Некогда рассуждать тут — живет не живет, — засипел страшный Филипп Филиппович, — я в седле! Все равно помрет... ах, ты че... к берегам священным... придаток давайте!

Борменталь подал ему склянку, в которой болтался на нитке в жидкости белый комочек. «Не имеет равных в Европе... ей-Богу!» — смутно подумал Борменталь. — Одной рукой Филипп Филиппович выхватил болтающийся комочек, а другой, ножницами, выстриг такой же в глубине где-то между распяленными полушариями. Шариков комочек он вышвырнул на тарелку, а новый заложил в мозг вместе с ниткой, и своими короткими пальцами, ставшими точно чудом тонкими и гибкими, ухитрился янтарной нитью его там замотать. После этого он выбросил из головы какие-то распялки, пинцет, мозг упрятал назад в костяную чашу, откинулся и уже поспокойнее спросил:

— Умер, конечно?..

— Нитевидный пульс, — ответил Борменталь.

— Еще адреналину!

Профессор оболочками забросал мозг, отпиленную крышку приложил как по мерке, скальп надвинул и взревел:

— Шейте!

Борменталь минут в пять зашил голову, сломав три иглы.

И вот на подушке появилось на окрашенном кровью фоне безжизненное потухшее лицо Шарика с кольцевой раной на голове. Тут уж Филипп Филиппович отвалился окончательно, как сытый вампир, сорвал одну перчатку, выбросив из нее облако потной пудры, другую разорвал, швырнул на пол и позвонил, нажав кнопку в стене. Зина появилась на пороге, отвернувшись, чтобы не видеть Шарика и крови.

Жрец снял меловыми руками окровавленный клобук и крикнул:

— Папиросу мне сейчас же, Зина. Все свежее белье и ванну!

Он подбородком лег на край стола, двумя пальцами раздвинул правое веко пса, заглянул в явно умирающий глаз и молвил:

— Вот, черт возьми. Не издох! Ну, все равно издохнет. Эх, доктор Борменталь, жаль пса! Ласковый был, но хитрый.

V

Тетрадь доктора Ивана Арнольдовича Борменталя. Тонкая, в писчий лист форматом. Исписана почерком Борменталя. На первых двух страницах он аккуратен, убористи четок, в дальнейшем размашист, взволнован, с большим количеством клякс.

22 декабря 1924 года. Понедельник.
История болезни.
Лабораторная собака приблизительно 2-х лет от роду. Самец. Порода — дворняжка. Кличка — Шарик. Шерсть жидкая, кустами, буроватая, с подпалинами, хвост цвета топленого молока. На правом боку следы совершенно зажившего ожога. Питание до поступления к профессору плохое, после недельного пребывания — крайне упитанный. Вес 8 килограммов *(знак восклицательный)*.

Сердце, легкие, желудок, температура — в норме.
23 декабря. В 8.30 часов вечера произведена первая в Европе операция по профессору Преображенскому: под хлороформенным наркозом удалены яички Шарика и вместо них пересажены мужские яички с придатками и семенными канатиками, взятые от скончавшегося за 4 часа 4 минуты до операции мужчины 28 лет и сохранявшиеся в стерилизованной физиологической жидкости по профессору Преображенскому.

Непосредственно вслед за сим удален после трепанации черепной крыши придаток мозга — гипофиз и заменен человеческим от вышеуказанного мужчины.

Истрачено 8 кубиков хлороформа, 1 шприц камфоры, 2 шприца адреналина в сердце.

Показание к операции: постановка опыта Преображенского с комбинированной пересадкой гипофиза и яичек для выяснения вопроса о приживаемости гипофиза, а в дальнейшем о его влиянии на омоложение организма у людей.

Оперировал профессор Ф. Ф. Преображенский.
Ассистировал доктор И. А. Борменталь.

В ночь после операции: грозные повторные падения пульса. Ожидание смертельного исхода. Громадные дозы камфоры по Преображенскому.

24 декабря. Утром — улучшение. Дыхание учащено вдвое. Температура 42. Камфора, кофеин под кожу.

25 декабря. Вновь ухудшение. Пульс еле прощупывается, похолодание конечностей, зрачки не реагируют. Адреналин в сердце и камфора по Преображенскому. Физиологический раствор в вену.

26 декабря. Некоторое улучшение. Пульс 180, дыхание 92. Температура 41. Камфора, питание клизмами.

27 декабря. Пульс 152, дыхание 50, температура 39,8. Зрачки реагируют. Камфора под кожу.

28 декабря. Значительное улучшение. В полдень внезапно приливной пот. Температура — 37,0. Операционные раны в прежнем состоянии. Перевязка.

Появился аппетит. Питание жидкое.

29 декабря. Внезапно обнаружено выпадение шерсти на лбу и на боках туловища. Вызваны для консультации профессор по кафедре кожных болезней Василий Васильевич Бундарев и директор московского ветеринарного показательного института. Ими случай признан не описанным в литературе. Диагностика осталась неустановленной. Температура — нормальна.

Запись карандашом:

Вечером появился первый лай (8 ч. 15 мин.). Обращает внимание резкое изменение тембра и тона (понижение). Лай вместо слова «гау-гау» на слоги «а-о» по окраске отдаленно напоминает стон.

30 декабря. Выпадение шерсти приняло характер общего облысения. Взвешивание дало неожиданный результат — вес 30 кило за счет роста (удлинения) костей. Пес по-прежнему лежит.

31 декабря. Колоссальный аппетит.

В тетради — клякса. После кляксы торопливым почерком.

В 12 ч. 12 минут дня пес отчетливо пролаял слово «А-б-ы-р»!

(В тетради перерыв и дальше, очевидно, по ошибке от волнения написано):

1 декабря. Перечеркнуто, поправлено: 1 января 1925 г. Фотографирован утром. Отчетливо лает «Абыр», повторяя это слово громко и как бы радостно. В 3 часа дня (*крупными буквами*) засмеялся, вызвав обморок горничной Зины.

Вечером произнес 8 раз подряд слово «Абыр-валг», «Абыр»!

Косыми буквами карандашом: профессор расшифровал слово «Абырвалг». Оно означает «Главрыба»!!! Что-то чудовищ...

2 января. Фотографирован во время улыбки при магнии. Встал с постели и уверенно держался полчаса на задних лапах. Моего почти роста.

В тетради вкладной лист.

Русская наука чуть не понесла тяжелую утрату.

История болезни профессора Ф. Ф. Преображенского.

В 1 час 13 минут — глубокий обморок с профессором Преображенским. При падении ударился головой о ножку стула. Тинктура валерианэ.

В моем и Зины присутствии пес (если псом, конечно, можно назвать) обругал профессора Преображенского по матери.

Перерыв в записях.

6 января. (То карандашом, то фиолетовыми чернилами.)

Сегодня после того, как у него отвалился хвост, он произнес совершенно отчетливо слово «пив-ная». Работает фонограф. Черт знает что такое!!!

———

Я теряюсь!

———

Прием у профессора прекращен. Начиная с 5 часов дня из смотровой, где расхаживает это существо, слышится явственная вульгарная ругань и слова: «Еще парочку».

7 января. Он произносит очень много слов: «Извощчик», «Мест нету», «Вечерняя газета», «Лучший подарок детям» и все бранные слова, какие только существуют в русском лексиконе.

Вид его странен. Шерсть осталась только на голове, на подбородке и на груди. В остальном он лыс, с дрябловатой кожей. В области половых органов — формирующийся мужчина. Череп увеличился значительно, лоб скошен и низок.

————

Ей-Богу, я с ума сойду!

————

Филипп Филиппович все еще чувствует себя плохо. Большинство наблюдений веду я. *(Фонограф, фотографии.)*

————

По городу расплылся слух.

Последствия неисчислимые. Сегодня днем весь переулок был полон какими-то бездельниками и старухами. Зеваки стоят и сейчас еще под окнами. В утренних газетах появилась удивительная заметка: «Слухи о марсианине в Обуховом переулке ни на чем не основаны. Они распущены торговцами с Сухаревки и будут строго наказаны». О каком, к черту, марсианине? Ведь это кошмар!!

Еще лучше в «Вечерней» — написали, что родился ребенок, который играет на скрипке. Тут же рисунок — скрипка и моя фотографическая карточка, и под ней подпись: «Проф. Преображенский, делавший кесарево сечение у матери». Это — что-то неописуемое!.. Новое слово — «милиционер».

————

Оказывается, Дарья Петровна была в меня влюблена и свистнула карточку из альбома Ф. Ф. После того как прогнал репортеров, один из них пролез на кухню и так далее...

Что творится во время приема! Сегодня было 82 звонка. Телефон выключен. Бездетные дамы с ума сошли и идут.

В полном составе домком во главе со Швондером. Зачем — сами не знают.

8 января. Поздним вечером поставили диагноз. Ф. Ф., как истый ученый, признал свою ошибку — перемена гипофиза дает не омоложение, а полное о ч е л о в е ч е н и е *(подчеркнуто три раза)*. От этого его изумительное, потрясающее открытие не становится ничуть меньше.

Тот сегодня впервые прошелся по квартире. Смеялся в коридоре, глядя на электрическую лампу. Затем, в сопровождении Филиппа Филипповича и меня, он проследовал в кабинет. Он стойко держится на задних *(зачеркнуто)*... на ногах и производит впечатление маленького и плохо сложенного мужчины.

Смеялся в кабинете. Улыбка его неприятна и как бы искусственна. Затем он почесал затылок, огляделся, и я записал новое, отчетливо произнесенное слово: «буржуи». Ругался. Ругань его методическая, беспрерывная и, по-видимому, совершенно бессмысленная. Она носит несколько фонографический характер: как будто это существо где-то раньше слышало бранные слова, автоматически, подсознательно занесло их в свой мозг и теперь изрыгает их пачками. А впрочем, я не психиатр, черт меня возьми!

На Филиппа Филипповича брань производит почему-то удивительно тягостное впечатление. Бывают моменты, когда он выходит из сдержанного и холодного наблюдения новых явлений и как бы теряет терпение. Так, в момент ругани он вдруг нервно выкрикнул:

— Перестань!

Это не произвело никакого эффекта.

После прогулки в кабинете общими усилиями Шарик был водворен в смотровую.

После этого мы имели совещание с Ф. Ф. Впервые, я должен сознаться, видел я этого уверенного и поразительно умного человека растерянным. Напевая по своему обыкновению, он спросил: «Что же мы теперь будем делать?» И сам же ответил буквально так: «Москшвея, да... „От Севильи до Гренады...“. Москшвея, дорогой доктор...» Я ничего не понял. Он пояснил: «Я вас прошу, Иван Арнольдович, купить ему белье, штаны и пиджак».

9 января. Лексикон обогащается каждые пять минут (в среднем) новым словом, с сегодняшнего утра, и фразами. Похоже, что они, замерзшие в сознании, оттаивают и выходят. Вышедшее слово остается в употреблении. Со вчерашнего вечера фонографом отмечены: «Не толкайся», «Бей его!», «Подлец», «Слезай с подножки», «Я тебе покажу», «Признание Америки», «Примус».

10 января. Произошло одевание. Нижнюю сорочку позволил надеть на себя охотно, даже весело смеясь. От кальсон отказался, выразив протест хриплыми криками: «В очередь, сукины дети, в очередь!» Был одет. Носки ему велики.

В тетради какие-то схематические рисунки, по всем признакам изображающие превращение собачьей ноги в человеческую.

Удлиняется задняя половина скелета стопы (Tarsus). Вытягивание пальцев. Когти.

Повторное систематическое обучение посещения уборной. Прислуга совершенно подавлена.

Но следует отметить понятливость существа. Дело вполне идет на лад.

11 января. Совершенно примирился со штанами. Произнес длинную веселую фразу, потрогав брюки Филиппа: «Дай папиросочку — у тебя брюки в полосочку».

Шерсть на голове — слабая, шелковистая. Легко спутать с волосами. Но подпалины остались, на темени. Сегодня облез последний пух с ушей. Колоссальный аппетит. С увлечением ест селедку.

В пять часов дня событие: впервые слова, произнесенные существом, не были оторваны от окружающих явлений, а явились реакцией на них. Именно: когда профессор приказал ему: «Не бросай объедки на пол», — неожиданно ответил: «Отлезь, гнида!»

Ф. Ф. был поражен, потом оправился и сказал:

— Если ты еще раз позволишь себе обругать меня или доктора, тебе влетит.

Я фотографировал в это время Шарика. Ручаюсь, что он понял слова профессора. Угрюмая тень легла на его лицо. Поглядел исподлобья и довольно раздраженно, но стих.

Ура! Он понимает!

12 января. Закладывание рук в карманы штанов. Отучаем от ругани. Свистал «Ой, яблочко». Поддерживает разговор.

Я не могу удержаться от нескольких гипотез: к чертям омоложение пока что! Другое неизмеримо более важное: изумительный опыт профессора Преображенского раскрыл одну из тайн человеческого мозга. Отныне загадочная функция гипофиза — мозгового придатка — разъяснена! Он определяет человеческий облик! Его гормоны можно назвать важнейшими в организме — гормонами облика. Новая область открывается в науке: безо всякой реторты Фауста создан гомункул! Скальпель хирурга вызвал к жизни новую человеческую единицу. Профессор Преображенский, вы — творец!!! *(Клякса.)*

Впрочем, я уклонился в сторону... Итак, он поддерживает разговор. По моему предположению, дело обстоит так: прижившийся гипофиз открыл центр речи в собачьем мозгу, и слова хлынули потоком. По-моему, перед нами оживший развернувшийся мозг, а не мозг вновь созданный. О, дивное подтверждение эволюционной теории! О, цепь величайшая от пса до Менделеева-химика! Еще моя гипотеза: мозг Шарика в собачьем периоде его жизни накопил бездну понятий. Все слова, которыми он начал оперировать в первую очередь, — уличные слова, он их слышал и затаил в мозгу. Теперь, проходя по улице, я с тайным ужасом смотрю на встречных псов. Бог их знает, что у них таится в мозгах!

———

Шарик читал! Читал *(три восклицательных знака)*. Это я догадался. По главрыбе! Именно с конца читал! И я даже знаю, где разрешение этой загадки: в перекресте зрительных нервов собаки!

———

Что в Москве творится — уму непостижимо человеческому. Семь сухаревских торговцев уже сидят за распространение слухов о светопреставлении, которое навлекли большевики. Дарья Петровна говорила и даже точно называла число: 28 ноября 1925 года, в день преподобного мученика Стефана, земля налетит на небесную ось!! Какие-то жулики уже читают лекции. Такой кабак мы сделали с этим гипофизом, что хоть вон беги из квартиры! Я переехал к Преображенскому по его просьбе и ночую в приемной с Шариком. Смотровая превращена в приемную. Швондер оказался прав. Домком злорадствует. В шкафах ни одного стекла, потому что прыгал. Еле отучили.

———

С Филиппом что-то страшное делается. Когда я ему рассказал о своих гипотезах и о надежде развить Шарика в очень высокую психическую личность, он хмыкнул и ответил: «Вы думаете?» Тон его зловещий. Неужели я ошибся? Старик что-то придумал. Пока я вожусь с этой историей болезни, он сидит над историей того человека, от которого мы взяли гипофиз.

_____

В тетради вкладной лист.

Клим Григорьевич Чугункин, 25 лет, холост. Беспартийный, сочувствующий. Судился 3 раза и оправдан: в первый раз благодаря недостатку улик, второй раз происхождение спасло, в третий — условно каторга на 15 лет. Кражи. Профессия — игра на балалайке по трактирам.

Маленького роста, плохо сложен. Печень расширена (алкоголь).

Причина смерти — удар ножом в сердце в пивной «Стоп-Сигнал» у Преображенской заставы.

_____

Старик, не отрываясь, сидит над климовской болезнью. Не понимаю — в чем дело. Бурчал что-то насчет того, что вот не догадался осмотреть в патологоанатомическом весь труп Чугункина. В чем дело — не понимаю! Не все ли равно, чей гипофиз?

17 января. Не записывал несколько дней. Болел инфлюэнцей.

За это время облик окончательно сложился:

а) совершенный человек по строению тела,

б) вес около трех пудов,

в) рост маленький,

г) голова маленькая,

д) начал курить,

е) ест человеческую пищу,

ж) одевается самостоятельно,

з) гладко ведет разговор.

_____

Вот так гипофиз! *(клякса).*

_____

Этим историю болезни заканчиваю. Перед нами новый организм, и наблюдать его нужно с начала.

Приложение: стенограммы речи, записи фонографа, фотографические снимки.

Подпись: ассистент профессора Ф. Ф. Преображенского

доктор Борменталь

VI

Был зимний вечер. Конец января. Предобеденное, передприемное время. На притолоке у двери в приемную висел белый лист бумаги, на коем было написано рукою Филиппа Филипповича:

«Семечки есть в квартире запрещаю.

Ф. Преображенский».

И синим карандашом крупными, как пирожные, буквами рукой Борменталя:

«Игра на музыкальных инструментах от 5 часов дня до 7 часов утра воспрещается».

Затем рукою Зины:

«Когда вернетесь, скажите Филиппу Филипповичу: я не знаю — куда он ушел. Федор говорил, что со Швондером».

Рукою Преображенского:

«Я сто лет буду ждать стекольщика?»

Рукою Дарьи Петровны *(печатно):*

«Зина ушла в магазин, сказала, приведет».

В столовой было совершенно по-вечернему, благодаря лампе под вишневым абажуром. Свет из буфета падал, перебитый пополам, — зеркальные стекла были заклеены косым крестом от одной фасетки до другой. Филипп Филиппович, склонившись над столом, погрузился в развернутый громадный лист

201

газеты. Молнии коверкали его лицо, и сквозь зубы сыпались оборванные, куцые воркующие слова. Он читал заметку:

«Никаких сомнений нет в том, что это его незаконно-рожденный (как выражались в гнилом буржуазном обществе) сын. Вот как развлекается наша псевдоученая буржуазия! Семь комнат каждый умеет занимать, до тех пор пока блистающий меч правосудия не сверкнул над ним красными лучами.

Шв... р».

Очень настойчиво, с залихватской ловкостью играли за двумя стенами на балалайке, и звуки хитрой вариации «Светит месяц» смешивались в голове Филиппа Филипповича со словами заметки в ненавистную кашу. Дочитав, он сухо плюнул через плечо и машинально запел сквозь зубы:

— Све-е-етит месяц... светит месяц... светит месяц... Тьфу прицепилась, вот окаянная мелодия!

Он позвонил. Зинино лицо просунулось между полотнищами портьеры.

— Скажи ему, что пять часов, чтобы прекратил, и позови его сюда, пожалуйста.

Филипп Филиппович сидел у стола в кресле. Между пальцами левой руки торчал коричневый окурок сигары. У портьеры, прислонившись к притолоке, стоял, заложив ногу за ногу, человек маленького роста и несимпатичной наружности. Волосы у него на голове росли жесткие, как бы кустами на выкорчеванном поле, а на лице — луговой небритый пух. Лоб поражал своей малой вышиной. Почти непосредственно над черными кисточками раскиданных бровей начиналась густая головная щетка.

Пиджак, прорванный под левой мышкой, был усеян соломой, полосатые брючки на правой коленке продраны, а на левой выпачканы лиловой краской. На шее у человека был повязан ядовито-небесного цвета галстух с фальшивой рубиновой булавкой. Цвет этого галстуха был настолько бросок, что время от времени, закрывая утомленные глаза, Филипп Филиппович в полной тьме то на потолке, то на стене видел пылающий факел с голубым венцом. Открывая их, слеп вновь, так как с полу, разбрызгивая веера света, швырялись в глаза лаковые штиблеты с белыми гетрами.

«Как в калошах», — с неприятным чувством подумал Филипп Филиппович, вздохнул, засипел и стал возиться с затухшей сигарой. Человек у двери мутноватыми глазами поглядывал на профессора и курил папиросу, посыпая манишку пеплом.

Часы на стене рядом с деревянным рябчиком прозвенели «пять». Внутри них еще что-то стонало, когда вступил в беседу Филипп Филиппович.

— Я, кажется, два раза уже просил не спать на полатях в кухне, тем более днем?

Человек кашлянул сипло, точно подавился косточкою, и ответил:

— Воздух в кухне приятнее.

Голос у него был необыкновенный, глуховатый и в то же время гулкий, как в маленький бочонок.

Филипп Филиппович покачал головой и спросил:

— Откуда взялась эта гадость? Я говорю о галстухе.

Человек, глазами следуя пальцу, скосил их через оттопыренную губу и любовно поглядел на галстух.

— Что ж «гадость», — заговорил он, — шикарный галстух. Дарья Петровна подарила.

— Дарья Петровна вам мерзость подарила. Вроде этих ботинок. Что это за сияющая чепуха? Откуда? Я что просил? Ку-пить при-личные ботинки, а это что? Неужели доктор Борменталь такие выбрал?

— Я ему велел, чтобы лаковые. Что я, хуже людей? Пойдите на Кузнецкий — все в лаковых.

Филипп Филиппович повертел головой и заговорил веско:

— Спанье на полатях прекращается. Понятно? Что это за нахальство? Ведь вы мешаете! Там женщины.

Лицо человека потемнело, и губы оттопырились.

— Ну, уж и женщины! Подумаешь. Барыни какие! Обыкновенная прислуга, а форсу, как у комиссарши! Это все Зинка ябедничает!

Филипп Филиппович глянул строго:

— Не сметь называть Зину Зинкой. Понятно?

Молчание.

— Понятно, я вас спрашиваю?

— Понятно.

— Убрать эту пакость с шеи. Вы... ты... вы посмотрите на себя в зеркало, на что вы похожи! Балаган какой-то! Окурки на пол не бросать, в сотый раз прошу. Чтобы я более не слышал ни одного ругательного слова в квартире. Не плевать. Вон плевательница. С писсуаром обращаться аккуратно. С Зиной всякие разговоры прекратить! Она жалуется, что вы в темноте ее подкарауливаете. Смотрите! Кто ответил пациенту «пес его знает»? Что вы, в самом деле, в кабаке, что ли?

— Что-то вы меня, папаша, больно утесняете, — вдруг плаксиво выговорил человек.

Филипп Филиппович покраснел, очки сверкнули.

— Кто это тут вам «папаша»? Что это за фамильярности? Чтобы я больше не слышал этого слова! Называть меня по имени и отчеству!

Дерзкое выражение загорелось в человеке.

— Да что вы все... То не плевать. То не кури. Туда не ходи... Что ж это на самом деле? Чисто как в трамвае. Что вы мне жить не даете! И насчет «папаши» — это вы напрасно! Разве я вас просил мне операцию делать? — человек возмущенно лаял. — Хорошенькое дело! Ухватили животную, исполосовали ножиком голову, а теперь гнушаются! Я, может, своего разрешения на операцию не давал. А равно (человек возвел глаза к потолку, как бы вспоминая некую формулу), а равно и мои родные. Я иск, может, имею право предъявить!

204

Глаза Филиппа Филипповича сделались совершенно круглыми, сигара вывалилась из рук. «Ну, тип», — пролетело у него в голове.

— Как-с,— прищуриваясь, спросил он,— вы изволите быть недовольным, что вас превратили в человека? Вы, может быть, предпочитаете снова бегать по помойкам? Мерзнуть в подворотнях? Ну, если бы я знал!..

— Да что вы все попрекаете — помойка, помойка. Я свой кусок хлеба добывал! А если бы я у вас помер под ножиком? Вы что на это выразите, товарищ?

— «Филипп Филиппович!» — раздраженно воскликнул Филипп Филиппович, — я вам не товарищ! Это чудовищно! — «Кошмар, кошмар», — подумалось ему.

— Уж конечно, как же... — иронически заговорил человек и победоносно отставил ногу, — мы понимаем-с! Какие уж мы вам товарищи! Где уж! Мы в университетах не обучались, в квартирах по 15 комнат с ваннами не жили! Только теперь пора бы это оставить. В настоящее время каждый имеет свое право...

Филипп Филиппович, бледнея, слушал рассуждения человека. Тот прервал речь и демонстративно направился к пепельнице с изжеванной папиросой в руке. Походка у него была развалистая. Он долго мял окурок в раковине с выражением, ясно говорящим: «На! На!» Затушив папироску, он на ходу вдруг лязгнул зубами и сунул нос под мышку.

— Пальцами блох ловить! Пальцами! — яростно крикнул Филипп Филиппович, — и я не понимаю — откуда вы их берете?

— Да что ж, развожу я их, что ли? — обиделся человек, — видно, блоха меня любит, — тут он пальцами пошарил в подкладке под рукавом и выпустил на воздух клок рыжей легкой ваты.

Филипп Филиппович обратил взор к гирляндам на потолке и забарабанил пальцами по столу. Человек, казнив блоху, отошел и сел на стул. Руки он при этом, опустив кисти, развесил вдоль лацканов пиджака. Глаза его скосились к шашкам паркета. Он созерцал свои башмаки, и это доставляло ему большое удовольствие. Филипп Филиппович посмотрел туда, где сияли резкие блики на тупых носах, глаза прижмурил и заговорил:

— Какое дело еще вы мне хотели сообщить?

— Да что ж дело! Дело просто. Документ, Филипп Филиппович, мне надо.

Филиппа Филипповича несколько передернуло.

— Хм... Черт! Документ! Действительно... Кхм... Да, может быть, без этого как-нибудь можно? — голос его звучал неуверенно и тоскливо.

— Помилуйте, — уверенно ответил человек, — как же так без документа? Это уж — извиняюсь. Сами знаете, человеку без документа строго воспрещается существовать. Во-первых, домком!

— При чем тут этот домком?

— Как это при чем? Встречают, спрашивают — когда ж ты, говорят, многоуважаемый, пропишешься?

— Ах ты, Господи, — уныло воскликнул Филипп Филиппович, — «встречаются, спрашивают»... Воображаю, что вы им говорите! Ведь я же вам запрещал шляться по лестницам!

— Что я, каторжный? — удивился человек, и сознание его правоты загорелось у него даже в рубине. — Как это так «шляться»?! Довольно обидны ваши слова. Я хожу, как все люди.

При этом он посучил лакированными ногами по паркету.

Филипп Филиппович умолк, глаза его ушли в сторону. «Надо все-таки сдерживать себя», — подумал он. Подойдя к буфету, он одним духом выпил стакан воды.

— Отлично-с, — поспокойнее заговорил он, — дело не в словах. Итак, что говорит этот ваш прелестный домком?

— Что ж ему говорить? Да вы напрасно его прелестным ругаете. Он интересы защищает.

— Чьи интересы, позвольте осведомиться?

— Известно чьи. Трудового элемента.

Филипп Филиппович выкатил глаза:

— Почему же вы — труженик?

— Да уж известно — не нэпман.

— Ну, ладно. Итак, что же ему нужно в защитах вашего революционного интереса?

— Известно что: прописать меня. Они говорят, где ж это видано, чтоб человек проживал непрописанным в Москве? Это — раз. А самое главное — учетная карточка. Я дезертиром быть не желаю. Опять же — союз, биржа...

— Позвольте узнать, по чему я вас пропишу? По этой скатерти или по своему паспорту? Ведь нужно все-таки считаться с положением! Не забывайте, что вы... э... гм... вы ведь, так сказать, — неожиданно появившееся существо, лабораторное! — Филипп Филиппович говорил все менее уверенно.

Человек победоносно молчал.

— Отлично-с. Что же, в конце концов, нужно, чтобы вас прописать и вообще устроить все по плану этого вашего домкома? Ведь у вас же нет ни имени, ни фамилии!

— Это вы несправедливо. Имя я себе совершенно спокойно могу избрать. Пропечатал в газете и шабаш!

— Как же вам угодно именоваться?

Человек поправил галстух и ответил:

— Полиграф Полиграфович.

— Не валяйте дурака, — хмуро отозвался Филипп Филиппович, — я с вами серьезно говорю.

Язвительная усмешка искривила усишки человека.

— Чтой-то не пойму я, — заговорил он весело и осмысленно. — Мне по матушке нельзя. Плевать — нельзя. А от вас только и слышу: «Дурак, дурак». Видно, что профессорам разрешается ругаться в ресефесере!

Филипп Филиппович налился кровью и, наполняя стакан, разбил его. Напившись из другого, подумал: «Еще немного, он меня учить станет и будет совершенно прав. В руках уже не могу держать себя».

Он вернулся, преувеличенно вежливо склонив стан, и с железной твердостью произнес:

— Из-вините. У меня расстроены нервы. Ваше имя показалось мне странным. Где вы, интересно узнать, откопали такое?

— Домком посоветовал. По календарю искали — какое тебе, говорят? Я и выбрал.

— Ни в каком календаре ничего подобного быть не может.

— Довольно удивительно,— человек усмехнулся,— когда у вас в смотровой висит.

Филипп Филиппович, не вставая, откинулся к кнопке на обоях, и на звонок явилась Зина.

— Календарь из смотровой.

Протекла пауза. Когда Зина вернулась с календарем, Филипп Филиппович спросил:

— Где?

— Четвертого марта празднуется.

— Покажите... Гм!.. ...черт. В печку его, Зина, сейчас же!

Зина, испуганно тараща глаза, ушла с календарем, а человек покрутил укоризненно головой.

— Фамилию позвольте узнать?

— Фамилию я согласен наследственную принять.

— Как-с? Наследственную? Именно?

— Шариков.

———

В кабинете перед столом стоял председатель домкома Швондер в кожаной тужурке. Доктор Борменталь сидел в кресле. При этом на румяных от мороза щеках доктора (он только что вернулся) было столь же растерянное выражение, как и у Филиппа Филипповича.

— Как же писать? — нетерпеливо спросил он.

— Что же, — заговорил Швондер, — дело не сложное. Пишите удостоверение, гражданин профессор. Что так, мол, и так, предъявитель сего действительно Шариков Полиграф Полиграфович, гм... зародившийся в вашей, мол, квартире...

Борменталь недоуменно шевельнулся в кресле. Филипп Филиппович дернул усом.

— Гм... вот черт! Глупее ничего себе и представить нельзя. Ничего он не зародился, а просто... ну, одним словом...

— Это — ваше дело, — со спокойным злорадством молвил Швондер, — зародился или нет... В общем и целом ведь вы делали опыт, профессор! Вы и создали гражданина Шарикова.

— И очень просто, — пролаял Шариков от книжного шкафа. Он вглядывался в галстух, отражавшийся в зеркальной бездне.

— Я бы очень просил вас, — огрызнулся Филипп Филиппович, — не вмешиваться в разговор! Вы напрасно говорите «и очень просто» — это очень не просто.

— Как же мне не вмешиваться, — обидчиво забубнил Шариков, а Швондер немедленно его поддержал:

— Простите, профессор, гражданин Шариков совершенно прав. Это его право участвовать в обсуждении его собственной участи, в особенности постольку, поскольку дело касается документов. Документ — самая важная вещь на свете.

В этот момент оглушительный трезвон над ухом оборвал разговор. Филипп Филиппович сказал в трубку: «Да...», покраснел и закричал:

— Прошу не отрывать меня по пустякам. Вам какое дело? — И хлестко всадил трубку в рога.

Голубая радость разлилась по лицу Швондера. Филипп Филиппович, багровея, прокричал:

— Одним словом, кончим это.

Он оторвал листок от блокнота и набросал несколько слов, затем раздраженно прочитал вслух:

— «Сим удостоверяю...» Черт знает, что такое... Гм... «Предъявитель сего — человек, полученный при лабораторном опыте путем операции на головном мозгу, нуждается в документах»... Черт! Да я вообще против получения этих идиотских документов. Подпись — «профессор Преображенский».

— Довольно странно, профессор, — обиделся Швондер, — как так документы вы называете идиотскими? Я не могу допустить пребывания в доме бездокументного жильца, да еще не взятого на воинский учет милицией. А вдруг война с империалистическими хищниками?

— Я воевать не пойду никуда, — вдруг хмуро гавкнул Шариков в шкаф.

Швондер оторопел, но быстро оправился и учтиво заметил Шарикову:

— Вы, гражданин Шариков, говорите в высшей степени несознательно. На воинский учет необходимо взяться.

— На учет возьмусь, а воевать — шиш с маслом, — неприязненно ответил Шариков, поправляя бант.

Настала очередь Швондера смутиться. Преображенский и злобно, и тоскливо переглянулся с Борменталем: «Не угодно ли-с, мораль». Борменталь многозначительно кивнул головой.

— Я тяжко раненный при операции, — хмуро подвывал Шариков, — меня, вишь, как отделали, — и он указал на голову. Поперек лба тянулся очень свежий операционный шрам.

— Вы анархист-индивидуалист? — спросил Швондер, высоко поднимая брови.

— Мне белый билет полагается, — ответил Шариков на это.

— Ну-с, хорошо-с, не важно пока, — ответил удивленный Швондер. — Факт в том, что мы удостоверение профессора отправим в милицию и вам выдадут документ.

— Вот что, э...— внезапно перебил его Филипп Филиппович, очевидно терзаемый какой-то думой,— нет ли у вас в доме свободной комнаты, я согласен ее купить.

Желтенькие искры появились в карих глазах Швондера.

— Нет, профессор, к величайшему сожалению. И не предвидится.

Филипп Филиппович сжал губы и ничего не сказал. Опять, как оглашенный, загремел телефон. Филипп Филиппович, ничего не спрашивая, молча сбросил трубку с рогулек так, что она, покрутившись немного, повисла на голубом шнуре. Все вздрогнули. «Изнервничался старик»,— подумал Борменталь, а Швондер, сверкая глазами, поклонился и вышел.

Шариков, скрипя сапожным рантом, отправился за ним следом.

Профессор остался наедине с Борменталем.

Немного помолчав, Филипп Филиппович мелко потряс головой и заговорил:

— Это кошмар, честное слово. Вы видите? Клянусь вам, дорогой доктор, я измучился за эти две недели больше, чем за последние четырнадцать лет. Ведь тип, я вам доложу...

В отдалении глухо треснуло стекло, затем вспорхнул заглушенный женский визг и тотчас потух. Нечистая сила шарахнула по обоям в коридоре, направляясь к смотровой, там чем-то грохнула и мгновенно пролетела обратно. Захлопали двери, и в кухне отозвался низкий крик Дарьи Петровны. Затем завыл Шариков.

— Боже мой! Еще что-то,— закричал Филипп Филиппович, бросаясь к дверям.

— Кот,— сообразил Борменталь и выскочил за ним вслед. Они понеслись по коридору в переднюю, ворвались в нее, оттуда свернули в коридор к уборной и ванне. Из кухни выскочила Зина и вплотную наскочила на Филиппа Филипповича.

— Сколько раз я приказывал — котов чтобы не было, — в бешенстве закричал Филипп Филиппович.— Где он?! Иван Арнольдович, успокойте, ради Бога, пациентов в приемной!

— В ванной, в ванной, проклятый черт сидит, — задыхаясь, закричала Зина.

Филипп Филиппович навалился на дверь ванной, но та не поддавалась.

— Открыть сию секунду!

В ответ в запертой ванной по стенам что-то запрыгало, обрушились тазы, дикий голос Шарикова глухо проревел за дверью:

— Убью на месте...

Вода зашумела по трубам и полилась. Филипп Филиппович налег на дверь и стал ее рвать. Распаренная Дарья Петровна с искаженным лицом появилась на пороге кухни. Затем высокое стекло, выходящее под самым потолком из ванной в кухню, треснуло червивой трещиной, и из него вывалились два осколка, а за ними выпал громаднейших размеров кот в тигровых кольцах и с голубым бантом на шее, похожий на городового. Он упал прямо на стол в длинное блюдо, расколов его вдоль, с блюда на пол, затем повернулся на трех ногах, а правой взмахнул, как будто в танце, и тотчас просочился в узкую щель на черную лестницу. Щель расширилась, и кот сменился старушечьей физиономией в платке. Юбка старухи, усеянная белым горохом, оказалась в кухне. Старуха указательным и большим пальцем обтерла запавший рот, припухшими и колючими глазами окинула кухню и произнесла с любопытством:

— О, Господи Исусе!

Бледный Филипп Филиппович пересек кухню и спросил старуху грозно:

— Что вам надо?

— Говорящую собачку любопытно поглядеть, — ответила старуха заискивающе и перекрестилась.

Филипп Филиппович еще более побледнел, к старухе подошел вплотную и шепнул удушливо:

— Сию секунду из кухни вон!

Старуха попятилась к дверям и заговорила обидевшись:

— Чтой-то уж больно дерзко, господин профессор.

— Вон, я говорю! — повторил Филипп Филиппович, и глаза его сделались круглыми, как у совы. Он собственноручно трахнул черной дверью за старухою. — Дарья Петровна, я уже просил вас?!

— Филипп Филиппович, — в отчаянье ответила Дарья Петровна, сжимая обнаженные руки и кулаки, — что ж я поделаю? Народ целые дни ломится, хоть все бросай.

Вода в ванной ревела глухо и грозно, но голоса более не слышалось. Вошел доктор Борменталь.

— Иван Арнольдович, убедительно прошу... гм... сколько там пациентов?

— Одиннадцать, — ответил Борменталь.

— Отпустите всех, сегодня принимать не буду!

Филипп Филиппович постучал костяшкой пальца в дверь и крикнул:

— Сию минуту извольте выйти! Зачем вы заперлись?

— Гу-гу! — жалобно и тускло ответил голос Шарикова.

— Какого черта?.. Не слышу, закройте воду!

— Гау... угу...

— Да закройте воду! Что он сделал, не понимаю?! — приходя в исступление, вскричал Филипп Филиппович.

Зина и Дарья Петровна, открыв рты, в отчаянии смотрели на дверь. К шуму воды прибавился подозрительный плеск. Филипп Филиппович еще раз прогрохотал кулаками в дверь.

— Вот он! — выкрикнула Дарья Петровна из кухни.

Филипп Филиппович ринулся туда. В разбитом окне под потолком показалась и высунулась в кухню физиономия Полиграфа Полиграфовича. Она была перекошена, глаза плаксивы, а вдоль носа тянулась, пламенея от свежей крови, царапина.

— Вы с ума сошли? — спросил Филипп Филиппович. — Почему вы не выходите?

Шариков и сам в тоске и страхе оглянулся и ответил:

— Защелкнулся я!

— Откройте замок. Что ж, вы никогда замка не видели?

— Да не открывается, окаянный, — испуганно ответил Полиграф.

— Батюшки! Он предохранитель защелкнул! — вскричала Зина и всплеснула руками.

— Там пуговка есть такая! — выкрикивал Филипп Филиппович, стараясь перекричать воду, — нажмите ее книзу... Вниз нажмите! Вниз!

Шариков пропал, через минуту вновь появился в окошке.

— Ни пса не видно, — в ужасе пролаял он в окно.

— Да лампу зажгите! Он взбесился!

— Котяра проклятый лампу раскокал, — ответил Шариков, — а я стал его, подлеца, за ноги хватать, кран вывернул, а теперь найти не могу.

Все трое всплеснули руками и в таком положении застыли.

Минут через пять Борменталь, Зина и Дарья Петровна сидели рядышком на мокром ковре, свернутом трубкою у подножия двери, и задними местами прижимали его к щели под дверью, а швейцар Федор с зажженной венчальной свечой Дарьи Петровны на деревянной лестнице лез в слуховое окно. Его зад в крупной серой клетке мелькнул в воздухе и исчез в отверстии.

— Ду... га-гу! — что-то кричал Шариков сквозь рев воды. Из окошка под напором брызнуло несколько раз на потолок кухни и вода стихла.

Послышался голос Федора:

— Филипп Филиппович, все равно надо открывать, пусть разойдется, отсосем из кухни!

— Открывайте! — сердито крикнул Филипп Филиппович.

Тройка поднялась с ковра, дверь из ванной нажали, и тотчас волна хлынула в коридорчик. В нем она разделилась на три потока: прямо — в противоположную уборную, направо — в кухню и налево — в переднюю. Шлепая и прыгая, Зина захлопнула в нее дверь. По щиколотку в воде вышел Федор, почему-то улыбаясь. Он был как в клеенке — весь мокрый.

— Еле заткнул, напор большой, — пояснил он.

— Где этот? — спросил Филипп Филиппович и с проклятьем поднял одну ногу.

— Боится выходить, — глупо усмехнувшись, объяснил Федор.

— Бить будете, папаша? — донесся плаксивый голос Шарикова из ванной.

— Болван! — кротко отозвался Филипп Филиппович.

Зина и Дарья Петровна в подоткнутых до колен юбках, с голыми ногами, и Шариков с швейцаром, босые, с закатанными штанами, шваркали мокрыми тряпками по полу кухни и отжимали их в грязные ведра и раковину. Заброшенная плита гудела. Вода уходила через дверь на гулкую лестницу, прямо в пролет лестницы падала в подвал.

Борменталь, вытянувшись на цыпочках, стоял в глубокой луже, на паркете в передней, и вел переговоры через чуть приоткрытую дверь на цепочке:

— Не будет сегодня приема, профессор нездоров. Будьте добры отойдите от двери, у нас труба лопнула.

— А когда же прием? — добивался голос за дверью, — мне бы только на минуту...

— Не могу, — Борменталь переступил с носков на каблуки, — профессор лежит, и труба лопнула.

Завтра прошу. Зина! Милая! Отсюда вытирайте, а то она на парадную лестницу выльется.

— Тряпки не берут!

— Сейчас кружками вычерпаем, — отзывался Федор, — сейчас!

Звонки следовали один за другим, и Борменталь уже всей подошвой стоял в воде.

— Когда же операция? — приставал голос и пытался просунуться в щель.

— Труба лопнула...

— Я бы в калошах прошел...

Синеватые силуэты появились за дверью.

— Нельзя, прошу завтра.

— А я записан.

— Завтра. Катастрофа с водопроводом.

Федор у ног доктора ерзал в озере, скреб кружкой, а исцарапанный Шариков придумал новый способ. Он скатал громадную тряпку в трубку, лег животом в воду и погнал ее из передней обратно к уборной.

— Что ты, леший, по всей квартире гоняешь! — сердилась Дарья Петровна, — выливай в раковину.

— Да что в раковину, — ловя руками мутную воду, отвечал Шариков, — она на парадное вылезет.

Из коридора со скрежетом выехала скамеечка, и на ней вытянулся, балансируя, Филипп Филиппович в синих с полосками носках.

— Иван Арнольдович, бросьте вы отвечать. Идите в спальню, я вам туфли дам.

— Ничего, Филипп Филиппович, какие пустяки.

— В калоши станьте!

— Да ничего. Все равно уже ноги мокрые.

— Ах, Боже мой! — расстраивался Филипп Филиппович.

— До чего вредное животное! — отозвался вдруг Шариков и выехал на корточках с суповой миской в руке.

Борменталь захлопнул дверь, не выдержал и засмеялся. Ноздри Филиппа Филипповича раздулись, и очки вспыхнули.

— Вы про кого говорите? — спросил он у Шарикова с высоты, — позвольте узнать.

— Про кота я говорю. Такая сволочь! — ответил Шариков, бегая глазами.

— Знаете, Шариков, — переведя дух, отозвался Филипп Филиппович, — я положительно не видел более наглого существа, чем вы.

Борменталь хихикнул.

— Вы, — продолжал Филипп Филиппович, — просто нахал! Как вы смеете это говорить? Вы все это учинили сами и еще позволяете... Да нет! Это черт знает что такое!

— Шариков, скажите мне, пожалуйста, — заговорил Борменталь, — сколько времени еще вы будете гоняться за котами? Стыдитесь! Ведь это же безобразие!

— Дикарь!

— Какой я дикарь? — хмуро отозвался Шариков, — ничего я не дикарь. Его терпеть в квартире невозможно. Только и ищет — как бы что своровать. Фарш слопал у Дарьи. Я его поучить хотел.

— Вас бы самого поучить! — ответил Филипп Филиппович, — вы поглядите на свою физиономию в зеркале.

— Чуть глаза не лишил, — мрачно отозвался Шариков, трогая глаз черной мокрой рукою.

Когда черный от влаги паркет несколько подсох и все зеркала покрылись банным налетом и звонки прекратились, Филипп Филиппович в сафьяновых красных туфлях стоял в передней.

— Вот вам, Федор...

— Покорнейше благодарим!

— Переоденьтесь сейчас же. Да вот что: выпейте у Дарьи Петровны водки.

— Покорнейше благодарю, — Федор помялся, потом сказал: — Тут еще, Филипп Филиппович. Я извиняюсь, уж прямо и совестно. Только — за стекло в седьмой квартире... Гражданин Шариков камнями швырял...

— В кота? — спросил Филипп Филиппович, хмурясь как облако.

— То-то, что в хозяина квартиры. Он уж в суд грозился подавать.

— Черт!

— Кухарку Шариков ихнюю обнял, а тот его гнать стал... Ну, повздорили.

— Ради Бога, вы мне всегда сообщайте сразу о таких вещах... Сколько нужно?

— Полтора.

Филипп Филиппович извлек три блестящих полтинника и вручил Федору.

— Еще за такого мерзавца полтора целковых платить, — послышался в дверях глухой голос, — да он сам...

Филипп Филиппович обернулся, закусил губу и молча нажал на Шарикова, вытеснил его в приемную и запер его на ключ. Шариков изнутри тотчас загрохотал кулаками в дверь.

— Не сметь! — явно больным голосом воскликнул Филипп Филиппович.

— Ну, уж это действительно! — многозначительно заметил Федор, — такого наглого я в жизнь свою не видел...

Борменталь как из-под земли вырос:

— Филипп Филиппович, прошу вас, не волнуйтесь!

Энергичный эскулап отпер дверь в приемную, и оттуда донесся его голос:

— Вы что? В кабаке, что ли?

— Это так... — добавил решительно Федор, — вот это так... Да по уху бы еще...

— Ну что вы, Федор, — печально бурнул Филипп Филиппович.

— Помилуйте, вас жалко, Филипп Филиппович!

— Нет, нет и нет, — настойчиво заговорил Борменталь, — извольте заложить.

— Ну что, ей-Богу, — забурчал недовольный Шариков.

— Благодарю вас, доктор, — ласково сказал Филипп Филиппович, — а то мне уже надоело делать замечания.

— Все равно не позволю есть, пока не заложите. Зина, примите майонез у Шарикова.

— Как это так «примите»? — расстроился Шариков, — я сейчас заложу.

Левой рукой он заслонил тарелку от Зины, а правой запихнул салфетку за воротничок и стал похож на клиента в парикмахерской.

— И вилкой, пожалуйста, — добавил Борменталь.

Шариков длинно вздохнул и стал ловить куски осетрины в густом соусе.

— Я еще водочки выпью, — заявил он вопросительно.

— А не будет ли вам? — осведомился Борменталь, — вы последнее время слишком налегаете на водку.

— Вам жалко? — осведомился Шариков и глянул исподлобья.

— Глупости говорите... — вмешался суровый Филипп Филиппович, но Борменталь его перебил:

— Не беспокойтесь, Филипп Филиппович, я сам. Вы, Шариков, чепуху говорите, и возмутительнее всего то, что говорите ее безапелляционно и уверенно. Водки мне, конечно, не жаль, тем более что она и не моя, а Филиппа Филипповича. Просто — это вредно. Это — раз, а второе — вы и без водки держите себя неприлично.

Борменталь указал на заклеенный буфет.

— Зинуша, дайте мне, пожалуйста, еще рыбы.

Шариков тем временем потянулся к графинчику и, покосившись на Борменталя, налил рюмочку.

— И другим надо предложить, — сказал Борменталь, — и так: сперва Филиппу Филипповичу, затем мне, а в заключение себе.

Шариковский рот тронула едва заметная сатирическая улыбка, и он разлил водку по рюмкам.

— Вот все у нас, как на параде, — заговорил он, — салфетку — туда, галстух — сюда, да «извините», да «пожалуйста», «мерси», а так, чтобы по-настоящему, это — нет! Мучаете сами себя, как при царском режиме.

— А как это «по-настоящему», позвольте осведомиться?

Шариков на это ничего не ответил Филиппу Филипповичу, а поднял рюмку и произнес:

— Ну, желаю, чтобы все...

— И вам также! — с некоторой иронией отозвался Борменталь.

Шариков выплеснул водку в глотку, сморщился, кусочек хлебца поднес к носу, понюхал, а затем проглотил, причем глаза его налились слезами.

— Стаж, — вдруг отрывисто и как бы в забытьи проговорил Филипп Филиппович.

Борменталь удивленно покосился:

— Виноват?..

— Стаж, — повторил Филипп Филиппович и горько качнул головой, — тут уж ничего не поделаешь, Клим!

Борменталь с чрезвычайным интересом остро вгляделся в глаза Филиппа Филипповича.

— Вы полагаете, Филипп Филиппович?

— Нечего и полагать, уверен в этом.

— Неужели... — начал Борменталь и остановился, покосившись на Шарикова.

Тот подозрительно нахмурился.

— Später...[1] — негромко сказал Филипп Филиппович.

---

[1] Позже (*нем.*).

— Gut[1], — отозвался ассистент.

Зина внесла индейку. Борменталь налил Филиппу Филипповичу красного вина и предложил Шарикову.

— Я не хочу, я лучше водочки выпью. — Лицо его замаслилось, на лбу проступил пот, он повеселел. И Филипп Филиппович несколько подобрел после вина. Его глаза прояснились, он благосклоннее поглядывал на Шарикова, черная голова которого в салфетке сидела, как муха в сметане.

Борменталь же, подкрепившись, обнаружил склонность к деятельности.

— Ну-с, что же мы с вами предпримем сегодня вечером? — осведомился он у Шарикова.

Тот поморгал глазами, ответил:

— В цирк пойдем, лучше всего.

— Каждый день в цирк? — довольно благодушно заметил Филипп Филиппович, — это довольно скучно, по-моему. Я бы на вашем месте хоть раз в театр сходил.

— В театр я не пойду, — неприязненно отозвался Шариков и перекрестил рот.

— Икание за столом отбивает у других аппетит, — машинально сообщил Борменталь. — Вы меня извините... Почему, собственно, вам не нравится театр?

Шариков посмотрел в пустую рюмку, как в бинокль, подумал и оттопырил губы.

— Да дурака валяние... Разговаривают, разговаривают... Контрреволюция одна.

Филипп Филиппович откинулся на готическую спинку и захохотал так, что во рту у него засверкал золотой частокол. Борменталь только повертел головой.

— Вы бы почитали что-нибудь, — предложил он, — а то, знаете ли...

---

[1] Хорошо (нем.).

— Я уж и так читаю, читаю... — ответил Шариков и вдруг хищно и быстро налил себе полстакана водки.

— Зина! — тревожно закричал Филипп Филиппович, — убирай, детка, водку! Больше не нужна. Что же вы читаете?

В голове у него вдруг мелькнула картина: необитаемый остров, пальма, и человек в звериной шкуре и колпаке. «Надо будет Робинзона...»

— Эту... Как ее... переписку Энгельса с этим... как его, дьявола? — с Каутским.

Борменталь остановил на полдороге вилку с куском белого мяса, а Филипп Филиппович расплескал вино. Шариков в это время изловчился и проглотил водку.

Филипп Филиппович локти положил на стол, вгляделся в Шарикова и спросил:

— Позвольте узнать, что вы можете сказать по поводу прочитанного?

Шариков пожал плечами:

— Да не согласен я.

— С кем? С Энгельсом или с Каутским?

— С обоими, — ответил Шариков.

— Это замечательно, клянусь Богом! «Всех, кто скажет, что другая...» А что бы вы со своей стороны могли предложить?

— Да что тут предлагать... А то пишут, пишут... конгресс, немцы какие-то... Голова пухнет. Взять все, да и поделить...

— Так я и думал! — воскликнул Филипп Филиппович, шлепнув ладонью по скатерти, — именно так и полагал!

— Вы и способ знаете? — спросил заинтересованный Борменталь.

— Да какой тут способ, — становясь словоохотливее после водки, объяснил Шариков, — дело не хитрое. А то что ж: один в семи комнатах расселся, штанов у него сорок пар, а другой шляется, в сорных ящиках питание ищет.

— Насчет семи комнат — это вы, конечно, на меня намекаете? — горделиво прищурившись, спросил Филипп Филиппович.

Шариков съежился и промолчал.

— Что ж, хорошо! Я не против дележа. Доктор, скольким вы вчера отказали?

— Тридцати девяти человекам, — тотчас ответил Борменталь.

— Гм... Триста девяносто рублей. Ну, грех на трех мужчин. Дам — Зину и Дарью Петровну — считать не станем. С вас, Шариков, сто тридцать рублей. Потрудитесь внести.

— Хорошенькое дело, — ответил Шариков, испугавшись, — это за что такое?

— За кран и за кота, — рявкнул вдруг Филипп Филиппович, выходя из состояния иронического спокойствия.

— Филипп Филиппович! — тревожно воскликнул Борменталь.

— Погодите! За безобразие, которое вы учинили и благодаря которому сорвали прием! Это же нестерпимо. Человек, как первобытный, прыгает по всей квартире, рвет краны! Кто убил кошку у мадам Полласухер? Кто...

— Вы, Шариков, третьего дня укусили даму на лестнице, — налетел Борменталь.

— Вы стоите!.. — кричал Филипп Филиппович.

— Да она меня по морде хлопнула! — взвизгнул Шариков, — у меня не казенная морда!

— Потому что вы ее за грудь ущипнули! — закричал Борменталь, опрокинув бокал, — вы стоите...

— Вы стоите на самой низшей ступени развития, — перекричал Филипп Филиппович, — вы еще только формирующееся, слабое в умственном отношении существо, все ваши поступки чисто звериные, и вы в присутствии двух людей с университетским образованием позволяете себе с развязностью совершенно невыносимой подавать какие-то советы космического масштаба и космической же глупости о том, как все поделить, и вы в то же время наглотались зубного порошку!..

— Третьего дня, — подтвердил Борменталь.

— Ну вот-с, — гремел Филипп Филиппович, — зарубите себе на носу, — кстати, почему вы стерли с него цинковую мазь? — что вам надо молчать и слушать, что вам говорят! Учиться и стараться стать хоть сколько-нибудь приемлемым членом социального общества! Кстати, какой негодяй снабдил вас этой книжкой?

— Все у вас негодяи, — испуганно ответил Шариков, оглушенный нападением с двух сторон.

— Я догадываюсь! — злобно краснея, воскликнул Филипп Филиппович.

— Ну, что же. Ну, Швондер и дал. Он не негодяй. Чтоб я развивался...

— Я вижу, как вы развились после Каутского! — визгливо и пожелтев, крикнул Филипп Филиппович. Тут он яростно нажал на кнопку в стене. — Сегодняшний случай показывает это как нельзя лучше! Зина!

— Зина! — кричал Борменталь.

— Зина! — орал испуганный Шариков.

Зина прибежала бледная.

— Зина! Там в приемной... Она в приемной?

— В приемной, — покорно ответил Шариков, — зеленая, как купорос.

— Зеленая книжка...

— Ну, сейчас палить! — отчаянно воскликнул Шариков, — она казенная, из библиотеки!!

— Переписка называется... как его?.. Энгельса с этим чертом... В печку ее!

Зина повернулась и улетела.

— Я бы этого Швондера повесил бы, честное слово, на первом же суку, — воскликнул Филипп Филиппович, яростно впиваясь в крыло индюшки, — сидит изумительная дрянь в доме, как нарыв. Мало того, что он пишет всякие бессмысленные пасквили в газетах...

Шариков злобно и иронически начал коситься на профессора. Филипп Филиппович в свою очередь отправил ему косой взгляд и умолк.

«Ох, ничего доброго у нас, кажется, не выйдет в квартире», — вдруг пророчески подумал Борменталь.

Зина внесла на круглом блюде рыжую с правого и румяную с левого бока бабу и кофейник.

— Я не буду ее есть, — сразу угрожающе-неприязненно заявил Шариков.

— Никто вас и не приглашает. Держите себя прилично! Доктор, прошу вас.

В молчании закончился обед.

Шариков вытащил из кармана смятую папиросу и задымил. Откушав кофею, Филипп Филиппович поглядел на часы, нажал репетир, и они проиграли нежно восемь с четвертью. Филипп Филиппович откинулся по своему обыкновению на готическую спинку и потянулся к газетам на столике.

— Доктор, прошу вас, съездите с ним в цирк. Только, ради Бога, посмотрите, в программе котов нету?

— И как такую сволочь в цирк допускают! — хмуро заметил Шариков, покачивая головой.

— Ну, мало ли кого туда допускают, — двусмысленно отозвался Филипп Филиппович, — что там у них?

— У Соломонского, — стал вычитывать Борменталь, — четыре каких-то... юссемс и человек мертвой точки.

— Что это за юссемс? — подозрительно осведомился Филипп Филиппович.

— Бог их знает. Впервые это слово встречаю.

— Ну, тогда лучше смотрите у Никитина. Необходимо, чтобы все было ясно.

— У Никитина... У Никитина... гм... слоны и предел человеческой ловкости.

— Тэк-с. Что вы скажете относительно слонов, дорогой Шариков? — недоверчиво спросил Филипп Филиппович у Шарикова.

Тот обиделся:

— Что ж, я не понимаю, что ли? Кот — другое дело, а слоны — животные полезные,— ответил Шариков.

— Ну-с, и отлично. Раз полезные, поезжайте поглядите на них. Ивана Арнольдовича слушаться надо. И ни в какие разговоры там не пускаться в буфете. Иван Арнольдович, покорнейше прошу пива Шарикову не предлагать.

Через десять минут Иван Арнольдович и Шариков, одетый в кепку с утиным носом и в драповое пальто с поднятым воротником, уехали в цирк. В квартире стихло. Филипп Филиппович оказался в своем кабинете. Он зажег лампу под тяжелым зеленым колпаком, отчего в громадном кабинете стало очень мирно, и начал мерить комнату. Долго и жарко светился кончик сигары бледно-зеленым огнем. Руки профессор заложил в карманы брюк, и тяжкая дума терзала его ученый с зализами лоб. Он причмокивал, напевал сквозь зубы «к берегам священным Нила...» и что-то бормотал. Наконец отложил сигару в пепельницу, подошел к шкафу, сплошь состоящему из стекла, и весь кабинет осветил тремя сильнейшими огнями с потолка. Из шкафа, с третьей стеклянной полки, Филипп Филиппович вынул узкую банку и стал, нахмурившись, рассматривать ее на свет огней. В прозрачной и тяжелой жидкости плавал, не падая на дно, малый беленький комочек, извлеченный из недр шариковского мозга. Пожимая плечами, кривя губы и хмыкая, Филипп Филиппович пожирал его глазами, как будто в белом нетонущем комке хотел разглядеть причину удивительных событий, перевернувших вверх дном жизнь в пречистенской квартире.

Очень возможно, что высокоученый человек ее и разглядел. По крайней мере, вдоволь насмотревшись на придаток мозга, он банку спрятал в шкаф, запер его на ключ, ключ положил в жилетный карман, а сам обрушился, вдавив голову в плечи и глубочайше засунув руки в карманы пиджака, в кожу дивана. Он долго палил вторую сигару, совершенно изжевав ее конец, и наконец, в полном одиночестве, зелено окрашенный, как седой Фауст, воскликнул:

— Ей-Богу, я, кажется, решусь!

Никто ему ничего не ответил на это. В квартире прекратились всякие звуки. В Обуховом переулке в одиннадцать часов, как известно, затихает движение. Редко-редко звучали отдаленные шаги запоздалого пешехода, они постукивали где-то за шторами и угасали. В кабинете нежно звенел под пальцами Филиппа Филипповича репетир в карманчике. Профессор нетерпеливо поджидал возвращения доктора Борменталя и Шарикова из цирка.

VIII

Неизвестно, на что решился Филипп Филиппович. Ничего особенного в течение следующей недели он не предпринимал, и, может быть, вследствие его бездействия квартирная жизнь переполнилась событиями.

Дней через шесть после истории с водой и котом из домкома к Шарикову явился молодой человек, оказавшийся женщиной, и вручил ему документы, которые Шариков немедленно заложил в карман пиджака и немедленно же после этого позвал доктора Борменталя.

— Борменталь!

— Нет, уж вы меня по имени и отчеству, пожалуйста, называйте, — отозвался Борменталь, меняясь в лице.

Нужно заметить, что в эти шесть дней хирург ухитрился раз восемь поссориться со своим воспитанником и атмосфера в обуховских комнатах была душная.

— Ну и меня называйте по имени и отчеству, — совершенно основательно ответил Шариков.

— Нет! — загремел в дверях Филипп Филиппович, — по такому имени и отчеству в моей квартире я вас не разрешу называть. Если вам угодно, чтобы вас перестали именовать фамильярно — «Шариков», и я, и доктор Борменталь будем называть вас «господин Шариков».

— Я не господин, господа все в Париже, — отлаял Шариков.

— Швондерова работа! — кричал Филипп Филиппович, — ну ладно, посчитаюсь я с этим негодяем. Не будет никого, кроме господ, в моей квартире, пока я в ней нахожусь! В противном случае или я, или вы уйдете отсюда, и, вернее всего, вы. Сегодня я помещу в газетах объявление, и, поверьте, я вам найду комнату!

— Ну да, такой я дурак, чтоб я съехал отсюда, — очень четко ответил Шариков.

— Как? — спросил Филипп Филиппович и до того изменился в лице, что Борменталь подлетел к нему и нежно и тревожно взял его за рукав.

— Вы, знаете, не нахальничайте, мосье Шариков, — Борменталь очень повысил голос. Шариков отступил, вытащил из кармана три бумаги: зеленую, желтую и белую — и, тыча в них пальцами, заговорил:

— Вот. Член жилищного товарищества, и жилплощадь мне полагается определенно в квартире номер пять у ответственного съемщика Преображенского в шестнадцать квадратных аршин, — Шариков подумал и добавил слово, которое Борменталь машинально отметил в мозгу как новое, — благоволите.

Филипп Филиппович закусил губу и сквозь нее неосторожно вымолвил:

— Клянусь, что я этого Швондера в конце концов застрелю.

Шариков в высшей степени внимательно и остро принял эти слова, что было видно по его глазам.

— Филипп Филиппович, vorsichtig...[1] — предостерегающе начал Борменталь.

— Ну, уж знаете... Если уж такую подлость!.. — вскричал Филипп Филиппович по-русски. — Имейте в виду, Шариков, господин... что я, если вы позволите еще одну наглую выходку, я лишу вас обеда и вообще питания в моем доме. Шестнадцать аршин — это прелестно, но ведь я вас не обязан кормить по этой лягушачьей бумаге?

Тут Шариков испугался и приоткрыл рот.

— Я без пропитания оставаться не могу, — забормотал он, — где ж я буду харчеваться?

— Тогда ведите себя прилично, — в один голос завыли оба эскулапа.

Шариков значительно притих и в тот день не причинил никакого вреда никому, за исключением самого себя: пользуясь небольшой отлучкой Борменталя, он завладел его бритвой и распорол себе скулу так, что Филипп Филиппович и доктор Борменталь накладывали ему на порез швы, отчего Шариков долго выл, заливаясь слезами.

Следующую ночь в кабинете профессора в зеленом полумраке сидели двое — сам Филипп Филиппович и верный и привязанный к нему Борменталь. В доме уже спали. Филипп Филиппович был в своем лазоревом халате и красных туфлях, а Борменталь в рубашке и синих подтяжках. Между врачами на круглом столе, рядом с пухлым альбомом, стояла бутылка коньяку, блюдечко с лимоном и сигарный ящик. Ученые, накурив полную комнату, с жаром обсуждали последнее событие: этим вечером Шариков присвоил в кабинете Филиппа Филипповича два червонца, лежавшие под прессом, пропал из квартиры, вернулся поздно и совершенно пьяный. Этого мало. С ним явились две не-

___
[1] Осторожно *(нем.)*.

известные личности, шумевшие на парадной лестнице и изъявившие желание ночевать в гостях у Шарикова. Удалились означенные личности лишь после того, как Федор, присутствовавший при этой сцене в осеннем пальто, накинутом сверх белья, позвонил по телефону в сорок пятое отделение милиции. Личности мгновенно отбыли, лишь только Федор повесил трубку. Неизвестно куда после ухода личностей задевалась малахитовая пепельница с подзеркальника в передней, бобровая шапка Филиппа Филипповича и его же трость, на каковой трости золотою вязью было написано: «Дорогому и уважаемому Филиппу Филипповичу благодарные ординаторы в день...», дальше шла римская цифра «XXV».

— Кто они такие? — наступал Филипп Филиппович, сжимая кулаки, на Шарикова.

Тот, шатаясь и прилипая к шубам, бормотал насчет того, что личности эти ему неизвестны, что они не сукины сыны какие-нибудь, а хорошие.

— Изумительнее всего, что ведь они же оба пьяные, как же они ухитрились?! — поражался Филипп Филиппович, глядя на то место в стойке, где некогда помещалась память юбилея.

— Специалисты,— пояснил Федор, удаляясь спать с рублем в кармане.

От двух червонцев Шариков категорически отперся и при этом выговорил что-то неявственное насчет того, что вот, мол, он не один в квартире.

— Ага! Быть может, это доктор Борменталь свистнул червонцы? — осведомился Филипп Филиппович тихим, но страшным по оттенку голосом.

Шариков качнулся, открыл совершенно посоловевшие глаза и высказал предположение:

— А может быть, Зинка взяла...

— Что такое?! — закричала Зина, появившись в дверях как привидение, закрывая на груди расстегнутую кофточку ладонью, — да как он...

Шея Филиппа Филипповича налилась красным цветом.

— Спокойно, Зинуша, — молвил он, простирая к ней руку, — не волнуйся, мы все это устроим.

Зина немедленно заревела, распустив губы, и ладонь запрыгала у нее на ключице.

— Зина, как вам не стыдно! Кто же может подумать? Фу, какой срам! — заговорил Борменталь растерянно.

— Ну, Зина, ты — дура, прости Господи, — начал было Филипп Филиппович.

Но тут Зинин плач прекратился сам собой, и все умолкли. Шарикову стало нехорошо. Стукнувшись головой об стену, он издал звук — не то «и», не то «е» — вроде «э-э-э!». Лицо его побледнело, и судорожно задвигалась челюсть.

— Ведро ему, негодяю, из смотровой дать!

И все забегали, ухаживая за заболевшим Шариковым. Когда его отводили спать, он, пошатываясь в руках Борменталя, очень нежно и мелодично ругался скверными словами, выговаривая их с трудом.

Вся эта история произошла около часу, а теперь было часа три пополуночи, но двое в кабинете бодрствовали, взвинченные коньяком с лимоном. Накурили они до того, что дым двигался густыми медленными плоскостями, даже не колыхаясь.

Доктор Борменталь приподнялся, бледный, с очень решительными глазами, поднял рюмку со стрекозиной тальей.

— Филипп Филиппович, — прочувственно воскликнул он, — я никогда не забуду, как я полуголодным студентом явился к вам и вы приютили меня при кафедре. Поверьте, Филипп Филиппович, вы для меня гораздо больше, чем профессор — учитель... Мое безмерное уважение к вам... Позвольте вас поцеловать, дорогой Филипп Филиппович.

— Да, голубчик мой... — растерянно промычал Филипп Филиппович и поднялся навстречу. Борменталь его обнял и поцеловал в пушистые, сильно прокуренные усы.

— Ей-Богу, Филипп Фили...

— Так растрогали, так растрогали... Спасибо вам, — говорил Филипп Филиппович, — голубчик, я иногда на вас ору на операциях. Уж простите стариковскую вспыльчивость. В сущности, ведь я так одинок... «От Севильи до Гренады!..»

— Филипп Филиппович, не стыдно ли вам, — искренно воскликнул пламенный Борменталь, — если вы не хотите меня обидеть, не говорите мне больше таким образом.

— Ну, спасибо вам... «К берегам священным Нила...» Спасибо... И я вас полюбил как способного врача.

— Филипп Филиппович, я вам говорю... — страстно воскликнул Борменталь, сорвался с места, плотнее прикрыл дверь, ведущую в коридор, и, вернувшись, продолжал шепотом: — Ведь это — единственный исход. Я не смею вам, конечно, давать советы, но, Филипп Филиппович, посмотрите на себя, вы совершенно замучились, ведь нельзя же больше работать!

— Абсолютно невозможно! — вздохнув, подтвердил Филипп Филиппович.

— Ну вот, это же немыслимо, — шептал Борменталь, — в прошлый раз вы говорили, что боитесь за меня, и если бы вы знали, дорогой профессор, как вы меня этим тронули. Но ведь я же не мальчик и сам соображаю, насколько это может получиться ужасная штука. Но, по моему глубокому убеждению, другого выхода нет.

Филипп Филиппович встал, замахал на него руками и воскликнул:

— И не соблазняйте, даже и не говорите, — профессор заходил по комнате, закачав дымные волны, — и слушать не буду. Понимаете, что получится, если нас накроют. Нам ведь с вами «принимая во внимание происхождение» — отъехать не придется, невзирая на нашу первую судимость. Ведь у вас нет подходящего происхождения, мой дорогой.

— Какой там черт... Отец был судебным следователем в Вильно, — горестно ответил Борменталь, допивая коньяк.

— Ну вот-с, не угодно ли. Ведь это же дурная наследственность. Пакостнее ее и представить себе ничего нельзя. Впрочем, виноват, у меня еще хуже. Отец — кафедральный протоиерей. Мерси... «От Севильи до Гренады... в тихом сумраке ночей...» Вот, черт ее возьми!

— Филипп Филиппович, вы величина мирового значения, и из-за какого-то, извините за выражение, сукина сына... Да разве они могут вас тронуть, помилуйте!

— Тем более не пойду на это, — задумчиво возразил Филипп Филиппович, останавливаясь и озираясь на стеклянный шкаф.

— Да почему?

— Потому что вы-то ведь не величина мирового значения?

— Где уж...

— Ну вот-с. А бросать коллегу в случае катастрофы, самому же выскочить на мировом значении, простите... Я московский студент, а не Шариков!

Филипп Филиппович горделиво поднял плечи и сделался похож на французского древнего короля.

— Филипп Филиппович, эх! — горестно воскликнул Борменталь, — значит, что же? Терпеть? Вы будете ждать, пока удастся из этого хулигана сделать человека?

Филипп Филиппович жестом руки остановил его, налил себе коньяку, хлебнул, пососал лимон и заговорил:

— Иван Арнольдович, как по-вашему, я понимаю что-либо в анатомии и физиологии, ну скажем, человеческого мозгового аппарата? Как ваше мнение?

— Филипп Филиппович, что вы спрашиваете? — с большим чувством ответил Борменталь и развел руками.

— Ну, хорошо. Без ложной скромности. Я тоже полагаю, что в этом я не самый последний человек в Москве.

— А я полагаю, что вы первый не только в Москве, а и в Лондоне, и в Оксфорде, — яростно перебил Борменталь.

— Ну ладно, пусть будет так. Ну так вот-с, будущий профессор Борменталь: это никому не удастся. Кончено. Можете и не спрашивать. Так и сошлитесь на меня, скажите, Преображенский сказал. Finita! Клим! — вдруг торжественно воскликнул Филипп Филиппович, и шкаф ответил ему звоном. — Клим, — повторил он. — Вот что, Борменталь, вы первый ученик моей школы и, кроме этого, мой друг, как я убедился сегодня. Так вот вам, как другу, сообщу по секрету, конечно, — я знаю, вы не станете срамить меня — старый осел Преображенский нарвался на этой операции как третьекурсник. Правда, открытие получилось, вы сами знаете какое, — тут Филипп Филиппович горестно указал обеими руками на оконную штору, очевидно намекая на Москву, — но только имейте в виду, Иван Арнольдович, что единственным результатом этого открытия будет то, что все мы теперь будем иметь этого Шарикова вот где, — здесь Преображенский похлопал себя по крутой и склонной к параличу шее, — будьте спокойны-с. Если бы кто-нибудь, — сладострастно продолжал Филипп Филиппович, — разложил меня здесь и выпорол, — я бы, клянусь, заплатил бы червонцев пять... «От Севильи до Гренады...» Черт меня возьми... Ведь я пять лет сидел, выковыривал придатки из мозгов... Вы знаете, какую я работу проделал, уму непостижимо. И вот теперь, спрашивается, зачем? Чтобы в один прекрасный день милейшего пса превратить в такую мразь, что волосы дыбом встают.

— Исключительное что-то...

— Совершенно с вами согласен. Вот доктор, что получается, когда исследователь вместо того, чтобы идти параллельно и ощупью с природой, форсирует вопрос и приподымает завесу: на, получай Шарикова и ешь его с кашей!

— Филипп Филиппович, а если бы мозг Спинозы?

— Да! — рявкнул Филипп Филиппович.— Да! Если только злосчастная собака не помрет у меня под ножом, а вы видели — какого сорта эта операция. Одним словом, я, Филипп Преображенский, ничего труднее не делал в своей жизни. Можно привить гипофиз Спинозы или еще какого-нибудь такого лешего и соорудить из собаки чрезвычайно высоко стоящего. Но на какого дьявола, спрашивается. Объясните мне, пожалуйста, зачем нужно искусственно фабриковать Спиноз, когда любая баба может его родить когда угодно! Ведь родила же в Холмогорах мадам Ломоносова этого своего знаменитого. Доктор, человечество само заботится об этом и в эволюционном порядке каждый год упорно, выделяя из массы всякой мрази, создает десятками выдающихся гениев, украшающих земной шар. Теперь вам понятно, доктор, почему я опорочил ваш вывод в истории шариковской болезни. Мое открытие, черти б его съели, с которым вы носитесь, стоит ровно один ломаный грош... Да, не спорьте, Иван Арнольдович, я все ведь уже понял. Я ж никогда не говорю на ветер, вы это отлично знаете. Теоретически это интересно, ну ладно. Физиологи будут в восторге. Москва беснуется, ну, а практически что? Кто теперь перед вами? — Преображенский указал пальцем в сторону смотровой, где почивал Шариков.

— Исключительный прохвост.

— Но кто он? Клим, Клим! — крикнул профессор,— Клим Чугункин (Борменталь открыл рот) — вот что-с: две судимости, алкоголизм, «все поделить», шапка и два червонца пропали (тут Филипп Филиппович вспомнил юбилейную палку и побагровел) — хам и свинья... Ну, эту палку я найду. Одним словом: гипофиз — закрытая камера, определяющая человеческое данное лицо. Данное! «От Севильи до Гренады...» — свирепо вращая глазами, кричал Филипп Филиппович, — а не общечеловеческое. Это в миниатюре — сам мозг. И мне он совершенно не нужен, ну его ко всем свиньям. Я заботился совсем о другом, об евгенике, об улучшении человеческой породы. И вот на омоложении нарвался! Неужели вы думаете, что я из-за денег произвожу их? Ведь я же все-таки ученый...

— Вы великий ученый, вот что, — молвил Борменталь, глотая коньяк. Глаза его налились кровью.

— Я хотел проделать маленький опыт, после того как два года тому назад впервые получил из гипофиза вытяжку полового гормона. И вместо этого что ж получилось. Боже ты мой! Этих гормонов в гипофизе, о Господи... Доктор, передо мной — тупая безнадежность, я, клянусь, потерялся.

Борменталь вдруг засучил рукава и произнес, кося глазами к носу:

— Тогда вот что, дорогой учитель, если вы не желаете, я сам, на свой риск, покормлю его мышьяком. Черт с ним, что и папа судебный следователь. Ведь в конце концов, это ваше собственное экспериментальное существо.

Филипп Филиппович потух, обмяк, завалился в кресло и сказал:

— Нет, я не позволю вам этого, милый мальчик. Мне шестьдесят лет, я вам могу давать советы. На преступление не идите никогда, против кого бы оно ни было направлено. Доживите до старости с чистыми руками.

— Помилуйте, Филипп Филиппович, да ежели его еще обработает этот Швондер, что ж из него получится? Боже мой, я только теперь начинаю понимать, что может выйти из этого Шарикова!

— Ага? Теперь поняли? А я понял через десять дней после операции. Ну так вот, Швондер и есть самый главный дурак. Он не понимает, что Шариков для него более грозная опасность, чем для меня. Ну, сейчас он всячески старается натравить его на меня, не соображая, что если кто-нибудь в свою очередь натравит Шарикова на самого Швондера, то от него останутся только рожки да ножки.

— Еще бы, одни коты чего стоят! Человек с собачьим сердцем.

— О нет, о нет, — протяжно ответил Филипп Филиппович, — вы, доктор, делаете крупнейшую ошибку, ради Бога, не клевещите на пса. Коты — это временно... Это вопрос дисциплины и двух-трех недель. Уверяю вас. Еще какой-нибудь месяц, и он перестанет на них кидаться.

— А почему же теперь?

— Иван Арнольдович, это элементарно, что вы, на самом деле, спрашиваете? Да ведь гипофиз не повиснет же в воздухе. Ведь он все-таки привит на собачий мозг, дайте же ему прижиться. Сейчас Шариков проявляет уже только остатки собачьего, и поймите, что коты — это лучшее из всего, что он делает. Сообразите, что весь ужас в том, что у него уже не собачье, а именно человеческое сердце. И самое паршивое из всех, которое существует в природе.

До последней степени взвинченный Борменталь сжал сильные худые руки в кулаки, повел плечами, твердо молвил:

— Конечно, я его убью.

— Запрещаю это, — категорически ответил Филипп Филиппович.

— Да помилуйте...

Филипп Филиппович вдруг насторожился, поднял палец.

— Погодите-ка... Мне шаги послышались.

Оба прислушались, но в квартире было тихо.

— Показалось, — молвил Филипп Филиппович и с жаром заговорил по-немецки. В его словах несколько раз звучало русское слово «уголовщина».

— Минуточку, — вдруг насторожился Борменталь и шагнул к двери. Шаги послышались явственно и приблизились к кабинету. Кроме того, бубнил голос. Борменталь распахнул дверь и отпрянул в изумлении. Совершенно пораженный Филипп Филиппович застыл в кресле.

В освещенном четырехугольнике коридора предстала в одной ночной сорочке Дарья Петровна с боевым и пылающим лицом. И врача и профессора ослепило обилие мощного и, как от страху показалось обоим, совершенно голого тела. В могучих руках Дарья Петровна волокла что-то, и это «что-то», упираясь, садилось на зад, и небольшие его ноги, крытые черным пухом, заплетались по паркету. «Что-то», конечно, оказалось Шариковым, совершенно потерянным, все еще пьяненьким, разлохмаченным и в одной рубашке.

Дарья Петровна, грандиозная и нагая, тряхнула Шарикова, как мешок с картофелем, и произнесла такие слова:

— Полюбуйтесь, господин профессор, на нашего визитера Телеграфа Телеграфовича. Я замужем была, а Зина — невинная девушка. Хорошо, что я проснулась.

Окончив эту речь, Дарья Петровна впала в состояние стыда, вскрикнула, закрыла грудь руками и унеслась.

— Дарья Петровна, извините, ради Бога, — опомнившись, крикнул ей вслед красный Филипп Филиппович.

Борменталь повыше засучил рукава рубашки и двинулся к Шарикову. Филипп Филиппович заглянул ему в глаза и ужаснулся:

— Что вы, доктор! Я запрещаю...

Борменталь правой рукой взял Шарикова за шиворот и тряхнул его так, что полотно сзади на сорочке треснуло, а спереди с горла отскочила пуговка.

Филипп Филиппович бросился наперерез и стал выдирать щуплого Шарикова из цепких хирургических рук.

— Вы не имеете права биться, — полузадушенный, кричал Шариков, садясь наземь и трезвея.

— Доктор! — вопил Филипп Филиппович.

Борменталь несколько пришел в себя и выпустил Шарикова, после чего тот сейчас же захныкал.

— Ну ладно, — прошипел Борменталь, — подождем до утра. Я ему устрою бенефис, когда он отрезвится.

Тут он ухватил Шарикова под мышки и поволок его в приемную спать.

При этом Шариков сделал попытку брыкаться, но ноги его не слушались.

Филипп Филиппович растопырил ноги, отчего лазоревые полы разошлись, возвел руки и глаза к потолочной лампе в коридоре и молвил:

— Ну-ну...

IX

Бенефис Шарикова, обещанный доктором Борменталем, не состоялся, однако, на следующее утро по той причине, что Полиграф Полиграфович исчез из дома. Борменталь пришел в яростное отчаяние, обругал себя ослом за то, что не спрятал ключ от парадной двери, кричал, что это непростительно, и кончил пожеланием, чтобы Шариков попал под автобус. Филипп Филиппович сидел в кабинете, запустив пальцы в волосы, и говорил:

— Воображаю, что будет твориться на улице... Вообража-а-ю. «От Севильи до Гренады», Боже мой.

— Он в домкоме еще может быть, — бесновался Борменталь и куда-то бегал.

В домкоме он поругался с председателем Швондером до того, что тот сел писать заявление в народный суд Хамовнического района, крича при этом, что он не сторож питомца профессора Преображенского, тем более что этот питомец Полиграф не далее как вчера оказался прохвостом, взяв в домкоме якобы на покупку учебников в кооперативе семь рублей.

Федор, заработавший на этом деле три рубля, обыскал весь дом сверху донизу. Нигде никаких следов Шарикова не было.

Выяснилось только одно, что Полиграф отбыл на рассвете в кепке, шарфе и пальто, захватив с собой бутылку рябиновой в буфете, перчатки доктора Борменталя и все свои документы. Дарья Петровна и Зина, не скрывая, выразили свою бурную радость и надежду, что Шариков больше не вернется. У Дарьи Петровны Шариков занял накануне три рубля пятьдесят копеек.

— Так вам и надо! — рычал Филипп Филиппович, потрясая кулаками. Целый день звенел телефон, звенел телефон на другой день, врачи принимали необыкновенное количество пациентов, а на третий день вплотную встал в кабинете вопрос о том, что нужно дать знать в милицию, каковая должна разыскать Шарикова в московском омуте.

И только что было произнесено слово «милиция», как благоговейную тишину Обухова переулка прорезал лай грузовика, и окна в доме дрогнули. Затем прозвучал уверенный звонок, и Полиграф Полиграфович оказался в передней. И профессор, и доктор вышли его встречать. Полиграф вошел с необычайным достоинством, в полном молчании снял кепку, пальто повесил на рога и оказался в новом виде. На нем была кожаная куртка с чужого плеча, кожаные же потертые штаны и английские высокие сапожки на шнуровке до колен. Неимоверный запах котов тотчас расплылся по всей передней. Преображенский и Борменталь точно по команде скрестили руки на груди и стали у притолоки, и ожидали первых сообщений от Полиграфа Полиграфовича. Тот пригладил жесткие волосы, кашлянул и осмотрелся так, что видно было: смущение Полиграф желает скрыть при помощи развязности.

— Я, Филипп Филиппович, — начал он наконец говорить, — на должность поступил.

Оба врача издали неопределенный сухой звук горлом и шевельнулись. Преображенский опомнился первый, руку протянул и молвил:

— Бумагу дайте.

Было напечатано: «Предъявитель сего товарищ Полиграф Полиграфович действительно состоит заведующим подотделом очистки города Москвы от бродячих животных (котов и прочее) в отделе МКХ».

— Так, — тяжело молвил Филипп Филиппович,— кто же вас устроил? Ах, впрочем, я и сам догадываюсь...

— Ну, да, Швондер, — ответил Шариков.

— Позвольте-с вас спросить, почему от вас так отвратительно пахнет?

Шариков понюхал куртку озабоченно.

— Ну, что ж, пахнет... известно. По специальности. Вчера котов душили, душили.

Филипп Филиппович вздрогнул и посмотрел на Борменталя. Глаза у того напоминали два черных дула, направленных на Шарикова в упор. Без всяких предисловий он двинулся к Шарикову и легко и уверенно взял его за глотку.

— Караул, — пискнул Шариков, бледнея.

— Доктор?!

— Ничего не позволю себе дурного, Филипп Филиппович, не беспокойтесь, — железным голосом отозвался Борменталь и завопил: — Зина и Дарья Петровна!

Те появились в передней.

— Ну, повторяйте,— сказал Борменталь и чуть-чуть притиснул горло Шарикова к шубе,— извините меня...

— Ну, хорошо, повторяю, — сиплым голосом ответил совершенно пораженный Шариков, вдруг набрал воздуху, дернулся и попытался крикнуть «караул», но крик не вышел, и голова его совсем погрузилась в шубу.

— Доктор, умоляю вас.

Шариков закивал головой, давая знать, что он покоряется и будет повторять.

— ...Извините меня, многоуважаемая Дарья Петровна и Зинаида...

— Прокофьевна, — шепнула испуганно Зина.

— Уф. Прокофьевна...— говорил, перехватывая воздух, охрипший Шариков.

— ...что я позволил себе...

— ...позволил...

— ...себе гнусную выходку ночью в состоянии опьянения...

— опьянения...

— Никогда больше не буду...

— Не бу...

— Пустите, пустите его, Иван Арнольдович, — взмолились одновременно обе женщины, — вы его задавите!

Борменталь выпустил Шарикова на свободу и сказал:

— Грузовик вас ждет?

— Нет, — почтительно ответил Полиграф, — он только меня привез.

— Зина, отпустите машину. Теперь имейте в виду следующее: вы опять вернулись в квартиру Филиппа Филипповича?..

— Куда же мне еще? — робко ответил Шариков, блуждая глазами.

— Отлично-с. Быть тише воды, ниже травы. В противном случае за каждую безобразную выходку будете иметь со мною дело. Понятно?

— Понятно, — ответил Шариков.

Филипп Филиппович во все время насилия над Шариковым хранил молчание. Как-то жалко он съежился у притолоки и грыз ноготь, потупив глаза в паркет. Потом вдруг поднял их на Шарикова и спросил, глухо и автоматически:

— Что же вы делаете с этими... с убитыми котами?

— На польты пойдут, — ответил Шариков, — из них белок будут делать на рабочий кредит.

Засим в квартире настала тишина и продолжалась двое суток.

Полиграф Полиграфович утром уезжал на гремящем грузовике, появлялся вечером, тихо обедал в компании Филиппа Филипповича и Борменталя.

Несмотря на то, что Борменталь и Шариков спали в одной комнате — приемной, они не разговаривали друг с другом, так что Борменталь соскучился первый.

Дня через два в квартире появилась худенькая с подрисованными глазами барышня в кремовых чулочках и очень смутилась при виде великолепия квартиры. В вытертом пальтишке она шла следом за Шариковым и в передней столкнулась с профессором.

Тот, оторопелый, остановился, прищурился и спросил:

— Позвольте узнать?..

— Я с ней расписываюсь, это наша машинистка, жить со мной будет. Борменталя надо будет выселить из приемной, у него своя квартира есть, — крайне неприязненно и хмуро пояснил Шариков.

Филипп Филиппович поморгал глазами, подумал, глядя на побагровевшую барышню, и очень вежливо пригласил ее.

— Я вас попрошу на минутку ко мне в кабинет.

— И я с нею пойду, — быстро и подозрительно молвил Шариков.

И тут моментально вынырнул как из-под земли решительный Борменталь.

— Извините, — сказал он, — профессор побеседует с дамой, а уж мы с вами побудем здесь.

— Я не хочу, — злобно отозвался Шариков, пытаясь устремиться вслед за сгорающей от страха барышней и Филиппом Филипповичем.

— Нет, простите, — Борменталь взял Шарикова за кисть руки, и они пошли в смотровую.

Минут пять из кабинета ничего не слышалось, а потом вдруг глухо донеслись рыдания барышни.

Филипп Филиппович стоял у стола, а барышня плакала в грязный кружевной платочек.

— Он сказал, негодяй, что ранен в боях, — рыдала барышня.

— Лжет! — непреклонно отвечал Филипп Филиппович. Он покачал головою и продолжал: — Мне вас искренно жаль, но нельзя же так с первым встречным только из-за служебного положения... Детка, ведь это безобразие... Вот что...

Он открыл ящик письменного стола и вынул три бумажки по три червонца.

— Я отравлюсь, — плакала барышня, — в столовке солонина каждый день... он угрожает, говорит, что он красный командир... со мною, говорит, будешь жить в роскошной квартире... каждый день ананасы... психика у меня добрая, говорит, я только котов ненавижу... Он у меня кольцо на память взял...

— Ну, ну, ну, психика добрая, «От Севильи до Гренады...», — бормотал Филипп Филиппович, — нужно перетерпеть — вы еще так молоды...

— Неужели в этой самой подворотне?

— Берите деньги, пока дают, взаймы, — рявкнул Филипп Филиппович.

Затем торжественно распахнулись двери, и Борменталь по приглашению Филиппа Филипповича ввел Шарикова. Тот бегал глазами, и шерсть на голове у него возвышалась, как щетка.

— Подлец! — выговорила барышня, сверкая заплаканными размазанными глазами и полосатым напудренным носом.

— Отчего у вас шрам на лбу, потрудитесь объяснить этой даме, — вкрадчиво спросил Филипп Филиппович.

Шариков сыграл по банку.

— Я на колчаковских фронтах ранен,— пролаял он. Барышня встала и с громким плачем вышла.

— Перестаньте! — крикнул вслед Филипп Филиппович, — погодите! Колечко позвольте, — сказал он, обращаясь к Шарикову.

Тот покорно снял с пальца дутое колечко с изумрудом.

— Ну, ладно, — вдруг злобно сказал он, — попомнишь ты у меня. Завтра я тебе устрою сокращение штатов!

— Не бойтесь его,— крикнул вслед Борменталь,— я ему не позволю ничего сделать. — Он повернулся и поглядел на Шарикова так, что тот попятился и стукнулся затылком о шкаф.

— Как ее фамилия? — спросил у него Борменталь. — Фамилия!!! — заревел он вдруг и стал дик и страшен.

— Васнецова, — ответил Шариков, ища глазами, как бы улизнуть.

— Ежедневно, — взявшись за лацкан шариковской куртки, выговорил Борменталь,— сам лично буду справляться в очистке — не сократили ли гражданку Васнецову. И если только вы... узнаю, что сократили, я вас... собственными руками здесь же пристрелю! Берегитесь, Шариков, говорю русским языком!

Шариков, не отрываясь, смотрел на борменталевский нос.

— У самих револьверы найдутся... — пробормотал Полиграф, но очень вяло и вдруг, изловчившись, брызнул в дверь.

— Берегитесь! — донесся ему вдогонку борменталевский крик.

Ночь и половину следующего дня в квартире висела
туча, как перед грозой. Но все молчали. И вот на следующий день, когда Полиграф Полиграфович, которого утром кольнуло скверное предчувствие, мрачный
уехал на грузовике к месту службы, профессор Преображенский в совершенно неурочный час принял одного
из своих прежних пациентов, толстого и рослого человека в военной форме. Тот настойчиво добивался свидания и добился. Войдя в кабинет, он вежливо щелкнул
каблуками.

— У вас боли, голубчик, возобновились? — спросил осунувшийся Филипп Филиппович, — садитесь,
пожалуйста.

— Мерси. Нет, профессор, — ответил гость, ставя
шлем на угол стола, — я вам очень признателен...
Гм... Я приехал к вам по другому делу, Филипп Филиппович... Питая большое уважение... гм... Предупредить. Явная ерунда. Просто он прохвост...

Пациент полез в портфель и вынул бумагу.

— Хорошо, что мне непосредственно доложили...

Филипп Филиппович оседлал нос пенсне поверх
очков и принялся читать. Он долго бормотал про
себя, меняясь в лице каждую секунду.

«...а также угрожал убить председателя домкома товарища Швондера, из чего видно, что хранит огнестрельное
оружие. И произносит контрреволюционные речи, и даже
Энгельса приказал своей социал-прислужнице Зинаиде
Прокофьевой Буниной спалить в печке, как явный меньшевик со своим ассистентом Борменталем Иваном Арнольдовым, который тайно, не прописанный, проживает
в его квартире. Подпись заведующего подотделом очистки П. П. Шарикова — удостоверяю. Председатель домкома Швондер, секретарь Пеструхин».

— Вы позволите мне это оставить у себя? — спросил Филипп Филиппович, покрываясь пятнами, — или, виноват, может быть, это вам нужно, чтобы дать законный ход делу?

— Извините, профессор, — очень обиделся пациент и раздул ноздри, — вы действительно очень уж презрительно смотрите на нас. Я... — и тут он стал надуваться, как индийский петух.

— Ну, извините, извините, голубчик, — забормотал Филипп Филиппович, — простите, я, право, не хотел вас обидеть.

— Мы умеем читать бумаги, Филипп Филиппович!

— Голубчик, не сердитесь, меня он так задергал...

— Я думаю, — совершенно отошел пациент, — но какая все-таки дрянь! Любопытно было бы взглянуть на него. В Москве прямо легенды какие-то про вас рассказывают...

Филипп Филиппович только отчаянно махнул рукой. Тут пациент разглядел, что профессор сгорбился и даже как будто более поседел за последнее время.

―――――――

Преступление созрело и упало, как камень, как это обычно и бывает. С сосущим нехорошим сердцем вернулся в грузовике Полиграф Полиграфович. Голос Филиппа Филипповича пригласил его в смотровую. Удивленный Шариков пришел и с неясным страхом заглянул в дула на лице Борменталя, а затем и Филиппа Филипповича. Туча ходила вокруг ассистента, и левая его рука с папироской чуть вздрагивала на блестящей ручке акушерского кресла.

Филипп Филиппович со спокойствием очень зловещим сказал:

— Сейчас заберете вещи: брюки, пальто, все, что вам нужно, — и вон из квартиры.

— Как это так? — искренно удивился Шариков.

— Вон из квартиры — сегодня, — монотонно повторил Филипп Филиппович, щурясь на свои ногти.

Какой-то нечистый дух вселился в Полиграфа Полиграфовича, очевидно, гибель уже караулила его и рок стоял у него за плечами. Он сам бросился в объятия неизбежного и гавкнул злобно и отрывисто:

— Да что такое в самом деле? Что я, управы, что ли, не найду на вас? Я на шестнадцати аршинах здесь сижу и буду сидеть!

— Убирайтесь из квартиры, — задушевно шепнул Филипп Филиппович.

Шариков сам пригласил свою смерть. Он поднял левую руку и показал Филиппу Филипповичу обкусанный с нестерпимым кошачьим запахом шиш. А затем правой рукой по адресу опасного Борменталя из кармана вынул револьвер. Папироса Борменталя упала падучей звездой, и через несколько секунд прыгающий по битым стеклам Филипп Филиппович в ужасе метался от шкафа к кушетке. На ней, распростертый и хрипящий, лежал заведующий подотделом очистки, а на груди у него помещался хирург Борменталь и душил его беленькой малой подушкой.

Через несколько минут доктор Борменталь не со своим лицом прошел на парадный ход и рядом с кнопкой звонка наклеил записку:

«Сегодня приема по случаю болезни профессора нет. Просят не беспокоить звонками».

Блестящим перочинным ножиком он перерезал провод звонка, в зеркале осмотрел исцарапанное в кровь свое лицо и изодранные, мелкой дрожью прыгающие руки. Затем он появился в дверях кухни и настороженным Зине и Дарье Петровне сказал:

— Профессор просит вас никуда не уходить из квартиры.

— Хорошо, — робко ответили Зина и Дарья Петровна.

— Позвольте мне запереть дверь на черный ход и забрать ключ, — заговорил Борменталь, прячась за дверь в тень и прикрывая ладонью лицо. — Это временно, не из недоверия к вам. Но кто-нибудь придет, а вы не выдержите и откроете, а нам нельзя мешать, мы заняты.

— Хорошо, — ответили женщины и сейчас же стали бледными.

Борменталь запер черный ход, забрал ключ, запер парадный, запер дверь из коридора в переднюю, и шаги его пропали у смотровой.

Тишина покрыла квартиру, заползла во все углы. Полезли сумерки, скверные, настороженные, одним словом, мрак.

Правда, впоследствии соседи через двор говорили, что будто бы в окнах смотровой, выходящих во двор, в этот вечер горели у Преображенского все огни и даже будто бы они видели белый колпак самого профессора... Проверить это трудно. Правда, и Зина, когда уже все кончилось, болтала, что в кабинете у камина после того, как Борменталь и профессор вышли из смотровой, ее до смерти напугал Иван Арнольдович. Якобы он сидел в кабинете на корточках и жег в камине собственноручно тетрадь в синей обложке из той пачки, в которой записывались истории болезни профессорских пациентов. Лицо будто бы у доктора было совершенно зеленое, и все, ну все... вдребезги исцарапанное. И Филипп Филиппович в тот вечер сам на себя не был похож. И еще что... Впрочем, может быть, невинная девушка из пречистенской квартиры и врет...

За одно можно ручаться. В квартире в этот вечер была полнейшая и ужаснейшая тишина.

Конец повести

ЭПИЛОГ

Ночь в ночь через десять дней после сражения в смотровой в квартире профессора Преображенского, что в Обуховом переулке, ударил резкий звонок. Зину смертельно напугали голоса за дверью:

— Уголовная милиция и следователь. Благоволите открыть.

Забегали шаги, застучало, стали входить, и в сверкающей от огней приемной с заново застекленными шкафами оказалась масса народу. Двое в милицейской форме, один в черном пальто, с портфелем, злорадный и бледный председатель Швондер, юноша-женщина, швейцар Федор, Зина, Дарья Петровна и полуодетый Борменталь, стыдливо прикрывающий горло без галстуха.

Дверь из кабинета пропустила Филиппа Филипповича. Он вышел в известном всем лазоревом халате, и тут же все могли убедиться сразу, что Филипп Филиппович очень поправился в последнюю неделю. Прежний властный и энергичный Филипп Филиппович, полный достоинства, предстал перед ночными гостями и извинился, что он в халате.

— Не стесняйтесь, профессор, — очень смущенно отозвался человек в штатском, затем он замялся и заговорил: — Очень неприятно. У нас есть ордер на обыск в вашей квартире и, — человек покосился на усы Филиппа Филипповича и докончил: — и арест, в зависимости от результатов.

Филипп Филиппович прищурился и спросил:

— А по какому обвинению, смею спросить, и кого?

Человек почесал щеку и стал вычитывать по бумажке из портфеля:

— По обвинению Преображенского, Борменталя, Зинаиды Буниной и Дарьи Ивановой в убийстве заведующего подотделом очистки МКХ Полиграфа Полиграфовича Шарикова.

Рыдания Зины покрыли конец его слов. Произошло движение.

— Ничего не понимаю, — ответил Филипп Филиппович, королевски вздергивая плечи, — какого такого

Шарикова? Ах, виноват, этого моего пса... которого я оперировал?

— Простите, профессор, не пса, а когда он уже был человеком. Вот в чем дело.

— То есть он говорил? — спросил Филипп Филиппович, — это еще не значит быть человеком. Впрочем, это неважно. Шарик и сейчас существует, и никто его решительно не убивал.

— Профессор, — очень удивленно заговорил черный человек и поднял брови, — тогда его придется предъявить. Десятый день, как пропал, а данные, извините меня, очень нехорошие.

— Доктор Борменталь, благоволите предъявить Шарика следователю, — приказал Филипп Филиппович, овладевая ордером.

Доктор Борменталь, криво улыбнувшись, вышел.

Когда он вернулся и посвистал, за ним из двери кабинета выскочил пес странного качества. Пятнами он был лыс, пятнами на нем отрастала шерсть. Вышел он, как ученый циркач, на задних лапах, потом опустился на все четыре и осмотрелся. Гробовое молчание застыло в приемной, как желе. Кошмарного вида пес с багровым шрамом на лбу вновь поднялся на задние лапы и, улыбнувшись, сел в кресло.

Второй милицейский вдруг перекрестился размашистым крестом и, отступив, сразу отдавил Зине обе ноги.

Человек в черном, не закрывая рта, выговорил такое:

— Как же, позвольте?.. Он же служил в очистке...

— Я его туда не назначал, — ответил Филипп Филиппович, — ему господин Швондер дал рекомендацию, если я не ошибаюсь.

— Я ничего не понимаю, — растерянно сказал черный и обратился к первому милицейскому: — Это он?

— Он, — беззвучно ответил милицейский. — Форменно он.

— Он самый, — послышался голос Федора, — только, сволочь, опять оброс.

— Он же говорил?.. кхе... кхе...

— И сейчас еще говорит, но только все меньше и меньше, так что пользуйтесь случаем, а то он скоро совсем умолкнет.

— Но почему же? — тихо осведомился черный человек.

Филипп Филиппович пожал плечами.

— Наука еще не знает способа обращать зверей в людей. Вот я попробовал, да только неудачно, как видите. Поговорил и начал обращаться в первобытное состояние. Атавизм!

— Неприличными словами не выражаться! — вдруг гаркнул пес с кресла и встал.

Черный человек внезапно побледнел, уронил портфель и стал падать на бок, милицейский подхватил его сбоку, а Федор сзади. Произошла суматоха, и в ней отчетливее всего были слышны три фразы:

Филиппа Филипповича: — Валерьянки! Это обморок.

Доктора Борменталя: — Швондера я собственноручно сброшу с лестницы, если он еще раз появится в квартире профессора Преображенского.

И Швондера: — Прошу занести эти слова в протокол!

———

Серые гармонии труб грели. Шторы скрыли густую пречистенскую ночь с ее одинокою звездою. Высшее существо, важный песий благотворитель сидел в кресле, а пес Шарик, привалившись, лежал на ковре у кожаного дивана. От мартовского тумана пес по утрам страдал головными болями, которые мучили его кольцом по головному шву. Но от тепла к вечеру они проходили. И сейчас легчало, легчало, и мысли в голове у пса текли складные и теплые.

«Так свезло мне, так свезло, — думал он, задремывая, — просто неописуемо свезло. Утвердился я в этой квартире. Окончательно уверен я, что в моем происхождении нечисто. Тут не без водолаза. Потаскуха была моя бабушка, царство ей небесное, старушке. Утвердился. Правда, голову всю исполосовали зачем-то, но это заживет до свадьбы. Нам на это нечего смотреть».

В отдалении глухо позвякивали склянки. Тяпнутый убирал в шкафах смотровой.

Седой же волшебник сидел и напевал:

— «К берегам священным Нила...»

Пес видел страшные дела. Руки в скользких перчатках важный человек погружал в сосуд, доставал мозги. Упорный человек, настойчивый, все чего-то добивался в них, резал, рассматривал, щурился и пел:

— «К берегам священным Нила...»

Конец

Михаил Булгаков
Январь—март 1925 года
Москва

СОДЕРЖАНИЕ

Литературно-художественное издание

МИХАИЛ АФАНАСЬЕВИЧ БУЛГАКОВ

СОБАЧЬЕ СЕРДЦЕ

Художественный редактор Валерий Гореликов
Технический редактор Татьяна Раткевич
Корректоры Алевтина Борисенкова, Ирина Киселева
Верстка Александра Савастени

Подписано в печать 25.07.2012.
Формат издания 76 × 100 $^1/_{32}$. Печать офсетная.
Гарнитура «Петербург». Тираж 3000 экз.
Усл. печ. л. 11,28. Заказ № 5009/12.

ООО «Издательская Группа „Азбука-Аттикус"» —
обладатель товарного знака АЗБУКА®
119991, г. Москва, 5-й Донской проезд, д. 15, стр. 4

Филиал ООО «Издательская Группа „Азбука-Аттикус"»
в Санкт-Петербурге
196105, г. Санкт-Петербург, ул. Решетникова, д. 15

ЧП «Издательство „Махаон-Украина"»
04073, г. Киев, Московский пр., д. 6 (2-й этаж)

Отпечатано в соответствии с предоставленными материалами
в ООО ИПК «Парето-Принт». 170546, Тверская обл.,
Калининский р-н, Бурашевское сельское поселение,
Промышленная зона Боровлево-1, комплекс № 3 «А»
www.pareto-print.ru

KAKB340809R

ПО ВОПРОСАМ ПРИОБРЕТЕНИЯ
КНИГ ОБРАЩАЙТЕСЬ:

В Москве:

ООО «Издательская Группа „Азбука-
Аттикус“»
тел.: (495) 933-76-00, факс: (495) 933-76-19
E-mail: sales@atticus-group.ru;
info@azbooka-m.ru

В Санкт-Петербурге:

*Филиал ООО «Издательская Группа
„Азбука-Аттикус“ в г. Санкт-Петербурге»*
Тел.: (812) 324-61-49, 388-94-38,
327-04-56, 321-66-58
факс: (812) 321-66-60
E-mail: trade@azbooka.spb.ru;
atticus@azbooka.spb.ru

В Киеве:

ЧП «Издательство „Махаон-Украина“»
тел. / факс:
(044) 490-99-01
E-mail: sale@machaon.kiev.ua

*Информация о новинках и планах,
а также условия сотрудничества
на сайтах*

*www.azbooka.ru
www.atticus-group.ru*